JN123762

朗読ワークショップ

青木裕子
Yuko Aoki

アーツアンドクラフツ

はじめに

軽井沢から浅間山を登っていく町道に大久保林道という名の道がある。はじめは別荘地だがしばらく行くと建物はまばらになって標高一二〇〇メートル付近まで登ると、右側に大草原の小さな家を思わせる開拓農家ふうの小屋がある。それが最後の建物でもうこの上には何も無いだろうとじっと目を凝らすとカラマツ林の奥に保護色をまとったような茶色い建物が見える。それが軽井沢朗読館で、下から来る最後の私有地であり人家だ。ここから先は国有地なので一般の建物はない。

建ててからもう十一年、早いものだと思う。朗読専用のホールを建てたいと思った時はまだＮＨＫの現職のアナウンサーだった。定年まであと二年を残していた。四十代の後半に思いがけず朗読の世界に出会ってすっかりその魅力に引き込まれ、人生の後半は山に籠もって朗読に明け暮れようと思い立った。この構想を百科事典の編集に長年携わってきた友人に話すと、彼は言った。「そういえば、ヨーロッパにも引退してからアルプスの山の中に自分用のホールをつくってこもり、好きな歌をうたってすごしたゲルダという人がいたな」。

なんて素敵な晩年の過ごし方なのだろう。私もそのオペラ歌手のように自分で建てた朗読用のホールで一人朗読をしたり、録音室で録音を重ねたりしたい。息が続くまで……。とまあ、恋に落ちたように夢中になり、矢も楯もたまらず、定年を機に朗読館を建ててしまった。のちにその話は私の大きな聞きまちがいで、男性ピアニストのフリードリヒ・グルダのことだったとわかったのだが。

建ててはじめての冬、一人でホールの真ん中に立ってみた。浅間山の白い頂きを見ながら朗読をしてみる。軽井沢の寒さは半端ではないから、なかなかの苦行になる。十年もたつと冬は床暖房が通っている小部屋から出ないようになった。夏は快適だ。葉が繁って浅間山が見えなくなった緑のカラマツの森に目をやりながらホールの真ん中でいつまでもいつまでも声をだしている。

軽井沢朗読館を建てて三年目、町立図書館の館長にならないかと声をかけられた。小さな町の図書館だ。町の人たちが朗読を楽しんで手をつなぐきっかけに少しでもなればと引き受けた。全く図書館には素人の私が一年続けばよいと思っていたら七年になり、そろそろ館長も卒業と思っていたら、二〇二〇年の四月から顧問兼名誉館長に任命された。ずっと朗読館から図書館に通う暮らしが続いている。そして時々東京に出向く。夫をはじめ家族がいるから。思えば不思議な暮らしが続いている。それもこれも朗読の神様に、もしいるとしたら、導かれてきた暮らしに違いない。

いつから朗読が好きでしたか、と聞かれることがある。ためらうことなく四歳か五歳のころの話をする。北九州の石炭産業の町で、そのころは五右衛門風呂だったかもしれない。やっと一人でお風呂に入ることができる年頃になっていた。いや、母親が先にあがって、あとからゆっくりあがっていたのか。そのころの正月は小倉百人一首が隣近所ではやっていたのだろう。子供もくちずさんでいた。風呂場で暗唱すると、声が湯気にゆられて反響して、天上の音楽のように聴こえたのだ。

「あさぼらけー」と天井にむかって声をあげると、あの光と靄と匂いとすべてをゆったりと包んだ景色が見えそうで、音はこんなにも心を溶かすのかとうっとり。他にも「あまのはらー」と言えば、伸びやかなうすい桃色の開けた大地と空がひろがって、あー言葉はこんなにもいいものなのか、大好きだと思った。あのころはそれが日本語だということも考えなかった。クマにとっての蜂蜜みたいなものだったかもしれない。再びその感覚が晩年になってから朗読という形でよみがえるのだから、ああ生きててよかったという心境なのだ。

　私にとって朗読とはどんなものなのか、どう声を出すのか。ごちゃごちゃの考えや体験をちょっと整理してここに広げてみようと思う。

目次

詩を朗読する

エッセイを朗読する

朗読ワークショップ

基本編

朗読にはコツがある

朗読に本格的に取り組みはじめたのは、まだ現役のアナウンサーだった四十代の後半だった。

発音する「声」の微妙な使い方で、平面に書かれていた文字の世界が立体的な情景に変わるのが面白くて、夢中になった。

一人で挑戦するのはもったいない、この面白さを伝えたい、仲間と一緒にたのしみたいとはじめたのが「朗読ワークショップ」で、コロナの前は年に一、二回開催していた。

春か秋、気候のよい二ヵ月ぐらいを選んで、二週間に一度、二時間の枠を計六回行って、ワンコース完了。いままで十回ほどこんな形で朗読ワークショップを開いた。

ワークショップに充てられた二時間の間、参加者にはとにかくどんどん読んでもらう。まずひとり五分ほど読んでもらい、一、二分私が気付いたことを評し、修正してもらう。そうしてぐるぐる順繰りにブラッシュアップ作業を行って、二〜三周すれば二時間はアッという間だ。

はじめは明大前にあった「キッド・アイラック・アート・ホール」を借りて行っていた。東京の小ホールの草分け的存在だったその場所が、大ホールの隆盛に押されて撤退を余儀なくされてからは、建てたばかりの軽井沢朗読館で行ったこともある。しかし森の中の「山猫軒」のような朗読館は定期的に集まるにはすこぶる不便なので、今は「キッド」の理念を受け継いだ「キッド」の生まれ変わりのような小ホール、成城学園前駅から徒歩三分の「アトリエ第Q藝術」を借りることが多い。「キッド」を切りもりしていた早川誠司さんが運営者の一人となって、姿をみせてくれるのが嬉しい。

「ワークショップ」では講義はしない。体験型の講座で一度に募集する人数は六、七人から多くて十三人まで。これ以上の人数は責任を持ってコーチできないし、共に楽しむ仲間を育てるのが目的なので、単に学校のようになってしまうことは避けている。

ともかく、実践あるのみ。そんな中で気付いたこと、ワークショップでよく話すことを挙げてみる。

◉声について「ともかく地声でね」

みんなの前で朗読するとき、どうしてもよく読もうとする。いい声を聞かせたい。女性なら、かわいらしい、美しい声を聞かせたいと思うだろう。しかし肝心なことは声を作らないこと。あくまで地声でね。

地声とは、おぎゃあと生まれたときの声。余談だが、もともとはドレミファソラのラの音。音楽家の人たちが言っているAの音。生れたばかりの赤ん坊の声帯の長さはまだ発達していなくて、みな同じ音程になるからだという説がある。

地声とは、つまり無防備な何も考えていない無心の状態で声を出す、その声。しかし、人間は成長していく間にいろいろなことに遭遇し、その状況を乗り越えるために声に鎧を着せていく。地声というのは、その鎧をとっぱらった、リラックスした時の声。なにも飾らない自然な声。

では、自然な声とはどんな時に出てくるだろうか。

わたしたちは心の中に何か伝えようとするテーマがあると、言葉にする。まず心の中にしゃべりたい内容が浮かぶ。そのとき、相手がリラックスできる人であって、その人に説明しよう、あるいは理解してもらいたいと思えば思うほど、しゃべる内容に意識を集中し、声はどんな声にしようなどとはあまり考えない。出たとこ勝負で、無意識に夢中でしゃべるもの。それが、意識しない自然の声。

作った声というのは、たとえば自分をよく見せたいという〝見栄〟が心理的な粒子として声に含まれたとすると、それは聴き手に瞬時に伝わる。聴き手の聴く能力は非常に高い。

自分自身より高いと思っているぐらいで間違いない。

作った声は下心を含んでいるぶん、どこかうるさく、長時間聴いているのがつらくなる。

地声だと、何時間聴いていても疲れない。

◉普段の話し方にできるだけ近づける

朗読は、書いてある文字を、ただ声を出して読めばいいと思っていないだろうか。

読んでいる文章が自分のものでなく、腹に落ちていないとただの借り物になって、棒読みになりがち。棒読みは、内容が相手に届きにくいことがある。

夢中でおしゃべりをしている内容は、すんなり伝わるもの。話したい内容がしっかり腹の中にあってしゃべるので、聴き手の心に伝わるのだ。

書かれている文章が、自分の胸中にあることとおなじであればいいのだが、そんなことはほとんどないといっていいだろう。朗読するたいていの文章は他人の書いたものだから。

暗記してしまえば、あたかも自分が持っている考え、自分の気持ちのように話すことが可能となる。でも、これはあまりに大変だ。朗読の基本は、初見の文章を周りの人に読ん

できかせること、明治のころは家長が家族に新聞を読んできかせることが多かったという
が、日常の作業のようなものなので、暗記していては時間がいくらあっても足りない。
よく芝居のセリフと朗読はどう違うのかときかれるが、朗読は芝居のセリフとは目的が
違う。もともと朗読はなにかの文章、なにかについて書かれた世界を読んで聞かせるもの
で、長い文章であることも、膨大な量であることもしばしばだ。いちいち暗記するもので
はない。

しかし暗記しないといっても、少なくとも何について書かれているか理解していること
が肝心。文字を見ていると、どうしても文字を声にする音声変換作業に精一杯になって、
あたかも自分の内側から出てきたように自然にしゃべることは難しい。

相手によく伝わる朗読とは、おしゃべりに近い自然なイントネーションで読むこと。し
ゃべり言葉には相手にすんなり伝わる力があるが、その形を借りて、書き言葉をあたかも
喋っているような調子で相手に届けると、棒読みよりは内容がわかりやすく伝わる。

しかし、これが難しい。日本語は話し言葉がそのまま書き言葉になったわけではなく、
話し言葉とは別の形で書き言葉ができてきたので、難しいのだ。

◉言葉を伝えようとする気持ちが大切

棒読みは伝わりにくいと言ったが、しかしそう言ったからといって、いちがいに棒読みが悪いというのではない。

ここが音声表現の不可思議なところで、小学校のはじめのころ、先生と一緒に唱和した棒読みが今聞いてみると、こよなく懐かしい響きをもっていると感じたことはないだろうか。読む人の、誠実に言葉を伝えようとする気持ちが、棒読みを美しいものに感じさせることがある。どんな場所で言葉が生きてくるかはあくまでケースバイケース、言葉は生き物なので、そこが難しいし、限りなくおもしろい。

じつは、朗読には「決まり」などなく、誰でもできる。朗読の難しさも、そこにある。一人ひとり全部違うのが朗読という音声表現のジャンルで、また時と場合によって、美しいと感じさせる要素が変化するのも朗読といえる。

幼い子どもにお母さんが絵本を読み聞かせるイントネーションは、子どもにとっては世界中でいちばん美しい響きを持つもの。上手下手を超えた、読み聞かせの行為全体に意味があるといっていい。

全身の感覚を研ぎ澄まして、いまこのタイミングで何を聴き手に届けるのがいいのかを感じて、読むときに自分自身の表現欲に振り回されない、ぶれない、迷わないこと。

◉朗読は音声芸術

おしゃべりするような内容への集中力を持って、文字を目で追って読んでいくことは、とても難しい。あたかも自分の中にその情景やその感情があるように読むというのは、ごくまれにそんな読み方が最初からそなわっている人もいるが、ほとんどは文字の魔力にとらわれてしまう。文字の罠にかかってしまう。

そこから逃れるためには、イマジネーションの力を総動員して集中力を切らさないように、書かれている情景が自分の身の周りにひろがっているイメージを維持する。そしてできるだけしゃべるように、伝えていく。集中あるのみ。朗読しているときは自分の朗読の技量など考えている暇はない。朗読って疲れるのです。

◉味わいのある朗読とは

私が教えた生徒さんに和歌に魅せられた人がいる。
彼女の朗読は名詞をとてもはっきりと大切に言い、あとはさらさらと、場面によって流したり、よどんだり、早めたり、まるで自在な呼吸のように表現する。たとえば、彼女が島崎藤村の『千曲川のスケッチ』を朗読するとき。『千曲川のスケッチ』はストーリーなどない、描写に徹した文章だ。

母は手拭いを冠り、手甲（てっこう）を着けて、稲の穂をこいては前にある箕（み）の中へ落していた。（中略）私の眼前（めのまえ）に働いていた男の子は稲村に預けて置いた袖なし半天を着た。母も上着（うわっぱり）の塵埃（ほこり）を払って着た。何となく私も身体がゾクゾクして来たから、尻端折（しりはしより）を下して、着物の上から自分の膝を摩擦しながら、皆なの為ることを見ていた。
鍬を肩に掛けて、岡づたいに家のほうへ帰っていく頬冠りの男もあった。

（島崎藤村『千曲川のスケッチ』「収穫」より）

このうち「母」「手甲」「稲の穂」「箕」「袖なし半天」「尻端折」「頬冠り」はゆっくり高くはっきり聴えるが、他は多少聴えるのと、むにゃむにゃ言っているぐらいにあやふやなのもあり、それはしかし曖昧にしても、聴き手には何が起こっているのかちゃんとわかるように伝わっている。

朗読に取り組む最初の動機が「うまい読み手になろう」という人と、彼女は単語の扱いが違う。前者は活舌（かつぜつ）など明瞭であることがまず第一に大切だと思う傾向にあるけれど、後者は言葉の持つニュアンスに魅力を感じている。このあたりに朗読のコツのヒントがある。ちなみに活舌とは、言葉を生業とする人たちの業界用語で、舌や口のまわりの筋肉を使って、つっかえずに明瞭に発音することをいう。朗読の本質を生かす道具のひとつと考え、とらわれすぎないこと。

◉単語はとても大切

自分がしゃべっているとき、客観的にその自分のしゃべり方を意識する、また他人のおしゃべりをよく聴くこと。単語は大切に発音して、そのほかの助詞などは軽く、早かったり、名詞ほど丁寧に言ってはいないことに気づく。

日本では昔から名詞には霊が宿っている、言葉には力が宿っていると考えられてきた。「言霊（ことだま）」と言われる。じつはその「言霊」の力を、私たちは普通の会話の中で見事に発揮している。強調して聴こえるように、ちゃんと大切に発音している。

強調するときは、声の音程を高く、強く（大きく）、ゆっくりと、この三つをうまくミックスして加減している。

ところが書かれた文章を読む、朗読するという段になると、どうして、お風呂場のタイルのように、トウモロコシの粒のように、名詞も動詞も助詞も形容詞もみんな一律、同じ大きさに粒立てて読んでしまわなければいけないような気がするのだろう。それが活字の罠だ。

活字と、しゃべるときの音の役目は全くちがうことに気づくこと。

先の『千曲川のスケッチ』の例文を朗読するときを考えてみよう。藤村のこれは、もちろん書き言葉を使って書かれた文章だ。この格調高い古典的な文章を朗読するとき、きちんと一文字一文字を、正確に発音しようとするだろう。「あ」なら「あ」ひとつの音の音圧、大きさ、長さも次に来る音と同じにつぶだっているに違いない。

この「正確」な朗読を聴いたあと、たとえば誰かに「文中の『私』は何を見たの?」と質問されたとする。「『私』はね、『岡づたいに家のほうへ帰っていく頬被りの男』を見たの」と答えるだろう。「岡づたいに家のほうへ帰っていく頬冠りの男」はサラッとはやく、ひとくくりで言ってしまうこと。

私たちは相手に何か「しゃべろう」とする場合、スピードも音程も音圧も変化させ、自分の持っているすべての音のテクニックを総動員して、内容を伝えることに必死になる。ある時は長い沈黙も使う。

では、なぜ朗読になるとそれができないのか。一本調子の一音一音「正確」な朗読になってしまうのか。どうしたら、その罠から抜け出られるのか。

朗読している自分の発音の流れが、どれほど自然体とはかけ離れた棒読みの言い回しをしているかに気づくこと。内容がよく伝わる朗読をするには、そこのところの「気づき」が一番の近道だ。

◉活字の罠、形容詞の罠

「美しいバラ」という言葉を朗読するとき、「美しい」を一生懸命、色めかせて意味を持たせて発音する人がいるが、それは誤解だ。

「バラ」という単語の音にすべてが宿っていると気づくこと。「バラ」と発音するとき、頭の中で赤いバラか白いバラかをイメージして発音すると、おのずと発音が微妙に変わってくる。何回も自分で繰り返して、その違いを感じること。まっ赤なバラを頭において「バラ」と言うと、「ア」の音が明るくはなやいだ高めの音になる。白いバラだと「ア」の音はやや低めになり、ソフトに高貴に発音される。亡くなられた鴨下信一さんにこのことを教えられた。

ではは「バラ」だけでなく、いろいろな名詞を口ずさんでみる。どの名詞も、そのものの深い意味合いや色彩を宿している。川の流れも「淵」と「瀬」では発音の明るさ、速さ、強さなど全然ちがうということが、注意深く自分の言葉を聴いてみるとわかるだろう。「フチ」と声に出すと、くぐもった、濁った、とろんとした、ゆっくりした流れの感じが音に含まれている。「瀬」というと勢いがよく、サーッとシャープな音の感じがしないだろうか。「静かな湖」も「しずかーーな、みずうみ」と、一生懸命どんなに「静か」かを表現しようとしてもだめで、ひっそりとたたずむ森の中の「みずうみ」の景色をこころにイメージして「みずうみ」の方を発音するだけで、そんな「みずうみ」が現れるのだ。

●書き言葉を、伝えやすく習熟する方法

書き言葉を朗読するさい、聴き手に伝わりやすく、それがわかるマニュアルはないだろうか。

一つは耳を澄ませて、他人の言葉、自分の言葉、自然な会話の音の流れをよく聴いて、そのとおり口ずさんでみる。真似てみる。

次に、書き言葉をおしゃべりしていると想定して言ってみる。それを繰り返す体験を積み重ねていくこと。「わたしは（ぼくは）驚いた」と目で文字を追って声に出すと、国語の教科書を教室で音読するように均一に発音しがちだ。文字を見ないで、普段の言葉として発音してみる。その両方の落差に気づいて、棒読みとしゃべり言葉とはどう違うのか、ひ

とつひとつ意識して確認していくこと。そうやって言葉の世界に敏感になっていくこと。

もう一つは、「よく伝わる朗読は理論的にどうなっているのか」を知ること。

たとえば芥川龍之介作『杜子春』の冒頭、「唐の都洛陽の西の門の下に、ぼんやり空を仰いでいる、一人の若者がありました」という文章。この「、」の前の助詞「に」と補助動詞「仰いでいる」の「いる」の音の高さが大切。

「、」があると、そこで休むことを国語の授業で学ぶ。しかし休むと同時に助詞「に」、また補助動詞「いる」の音をさげてしまうのだ。そして「、」のあと立て直して、次の出だしの音程を高く発音するのだが、そうすると「このはなしは続いています」というサインにならず、ぶつぶつ切れた印象になってしまう。

「、」の前とあとの音程を同じにすることで、続いていくというサインになる。話し言葉には、このような「ルール」があるが、書き言葉に目が行ってしまうと、この「ルール」は無視されることになってしまう。

◉助詞は軽く軽く！

「こ」の直前の助詞の使い方に耳をすますこと。たいてい音をドスンと尻餅をついたように低く落として「こ」のあとで音程を高く出る読み方をしている。それで文章がブツブツ切れるように聞こえてしまう。もう一つ重要なのは助詞、「は」「が」「を」「の」「に」などを、他の名詞の音などと同じ大きさ強さで読まなくてもいいということ。

たとえば「私が」あるいは「私は」の読み方で、一人称で書かれた文章を読むことはよくある。その物語や文章にはじめて出てきた「私が」の「私」は、きちんとはっきり読むが、これだって「が」は「私」に比較して軽く発音する。その次に出てきた「私が」はずっと簡単に済ませる。わかりきっているから、サラッと簡単に読み流していいのだ。音量は半分ぐらいでいい。強さも半分ぐらい。ふわっと柔らかく、消えそうになっても文章の意味は伝わる。しかし長さは普通にゆっくりがいい。しばらく「私が」が出てこなくて、忘れたころに出てくると、また強めに言う、というぐあい。

朗読するときは活字に目が釘付けになっている状態なので、つい出てくるたびに力を込めて「私が」と、力を入れて読んでしまう。日常の喋り方を振り返ってみると、自在に、スピードや強弱をあやつって、言いたいことを表現している。

また、「そして」「そのかたわらには」などの接続詞や接続していく言葉を、文章の中でどう読んでいるだろうか。他の名詞などと同じ強さで、同列に読んでいないだろうか。振り返って、日常で話すときはどう発音しているだろうか。うんと軽く喋っていたり、場合によっては何よりも強く言ったり、自在に使っていることに気づくはずだ。

◉『読み点「、」の罠』

何度も言うように、どうしても読み点「、」のとおりに、そこで休んで読んでしまう人が多い。これは日本の国語教育が、「しゃべること」よりも「目で読むこと」、「書くこと」に重きを置いてきたことと関係がある。書かれたもののほうが〝格が上〟のような気がしてしまう。〝格が上〟のものには従ってしまう心理が働く。

しかし、「しゃべり言葉」はもっと自在なものだ。書き言葉の束縛から離れて自由なもの。朗読の時は、できるだけその「しゃべり言葉」の自在な表現力を使わない手はないのだ。

「、」は作家が打つ場合もあるし、編集の段階で編集者が読みやすいように「、」を打っていく場合もある。おおざっぱに言うと、そのどちらも文章の意味のひと括りで「、」を打つことがほとんど。ここに「書き言葉」と「しゃべり言葉」の根本的な矛盾が生じる。

たとえば百人一首の中に紀貫之の書いた、「ひとはいさ　こころもしらず　ふるさとははなぞむかしの　かににおいける」という和歌がある。どう読むだろうか。「ふるさとは」までひと息に読んで、間をあける。私たちは古来からそう読んできた。しかし、よく考えてほしい。これが現代の散文の中に組み込まれた文章だと仮定して「、」を打つと、意味から判断して「ひとはいさこころもしらず、ふるさとははなぞむかしのかににおいける」と点をうつことになるだろう。そしてこの「、」で止めて読むことを、現代国語教育ではよしとしてきた。

ところが「しゃべり言葉」の場合、次に言いたい、ひと括りの意味の文章の出だしを先取りして止める。「ふるさとは」の次を止めて、次になにが来るかを聴く人たちに推理させる。「ふるさとは」と言ったあと、〝まだまだ話は続くのです、さて、ふるさとはいかにやいかに〟という日本語の大切なサインなのだ。そこにリズムと間という「書き言葉」では表現できないニュアンスが相まって、日本語を情感豊かなものにしていく。和歌だけでなく、次にくるひと括りの意味の連なるフレーズの頭を言ってしまって聴き手の想像力をかき立てる手法は、いくらでも見つけることができる。

こう考えると、「書き言葉」と「しゃべり言葉」の間の違いがおわかりいただけるはず。朗読するときはできるだけ、「おしゃべりに近づけて」いく努力をすることが大切なのだ。

◉朗読のテンポ

「大勢の前で朗読する時は、ゆっくりが鉄則」。しかし全部、おなじようにゆっくりではない。とても速いところと、とてもゆっくりしたところが混ざっていると考えていい。

たとえば、太宰治作『走れメロス』の中で、メロスは友人のセリヌンティウスを救うために刑場に戻ろうとする。しかし王様の差し向けた賊と戦い疲れて泉のそばで寝込んでしまう。

ふと耳に、潺々（せんせん）、水の流れる音が聞えた。そっと頭をもたげ、息を呑んで耳をすました。すぐ足もとで、水が流れているらしい。よろよろ起き上って、見ると、岩の裂目から滾々と、何か小さく囁きながら清水が湧き出ているのである。その泉に吸い込まれるようにメロスは身をかがめた。水を両手で掬って、一くち飲んだ。ほうと長い溜息が出て、夢から覚めたような気がした。歩ける。行こう。

ここまではメロスの一つひとつの動作をイメージしながら、その動作のもつテンポに忠実にゆっくり読む。次に、

　肉体の疲労恢復と共に、わずかながら希望が生れた。義務遂行の希望である。わが身を殺して、名誉を守る希望である。斜陽は赤い光を、樹々の葉に投じ、葉も枝も燃えるばかりに輝いている。日没までには、まだ間がある。私を、待っている人があるのだ。少しも疑わず、静かに期待してくれている人があるのだ。私は、信じられている。私の命なぞは、問題ではない。死んでお詫び、などと気のいい事は言って居られぬ。私は、信頼に報いなければならぬ。いまはただその一事だ。

ここはしっかり普通の朗読のテンポで、少しずつスピードは早くなるがあくまで普通に

伝える。力強く。

続いて、メロスの動きが早くなるにつれて、朗読もめちゃくちゃ早くなっていく。

走れ！　メロス。私は信頼されている。私は信頼されている。先刻の、あの悪魔の囁きは、あれは夢だ。悪い夢だ。忘れてしまえ。五臓が疲れているときは、ふいとあんな悪い夢を見るものだ。メロス、おまえの恥ではない。やはり、おまえは真の勇者だ。再び立って走れるようになったではないか。ありがたい！　私は、正義の士として死ぬ事が出来るぞ。ああ、陽が沈む。ずんずん沈む。待ってくれ、ゼウスよ。私は生れた時から正直な男であった。正直な男のままにして死なせて下さい。

ものすごいスピードで走りながら心の中で思っていることなのだから、朗読も走りながらの猛スピード、とても早くなる。ここでは走っているイメージから一瞬でも離れないように集中する。

◉方言の朗読について

かつて日本列島はとても豊かな方言に満ち満ちていた。

明治になり、一つの国として軍隊を組織するときに、各地方から召集された兵士に通じる言葉が必要になり、標準語が人工的に作られた。

もともと豊かで細やかなニュアンスの宝庫である方言が消えようとする今、やっと方言の大切さに私たちは気づき始めた。

方言はどれも世界遺産だ。方言はいったん消えてしまうと、二度と復元できない。日常に生きていてこその世界遺産なので、朗読会などでは大いにその美しい響きを楽しみ、大切にしなければならない。

しかし、その地方ではお互いに瞬時にわかる方言でも、一歩外へ出れば何を言っているのかわからなくなることがあるのも事実。朗読会などを開くときは、その地域の聴衆の中心言語（方言）が何かを、考えておくことが重要だ。

その方言の生きている場所では、その方言で書かれたものはできるだけ方言を使って朗読するのも大事なことだと思う。たとえば、宮沢賢治の『獅子踊りのはじまり』を読む時は、アクセントもイントネーションも含めて、花巻弁で読むことができると、とても素敵だ。一つひとつの音もその地方のニュアンスをたっぷり含んでいて、「あ」と発音しただけで、もう世界中のどこにもない「あ」であり、花巻の風土がこもっている。

嘉十はにわかに耳がきいんと鳴りました。そしてがたがたふるえました。鹿どもの風にゆれる草穂（くさぼ）のような気もちが、波になって伝わって来たのでした。

嘉十はほんとうにじぶんの耳を疑いました。それは鹿のことばがきこえてきたからです。

「じゃ、おれ行って見で来（こ）べが。」

「うんにゃ、危ないじゃ。も少し見でべ。」

「何時（いつ）だがの狐（きつね）みだいに口発破（くちはっぱ）などさ罹（かか）ってあ、つまらないもな、高で栃の団子などでよ。」

「そだそだ、全ぐだ。」

宮沢賢治の作品を朗読するときは、とてもゆたかな世界にとり囲まれ身を置くことになる。その感覚が大好きなのだが、東北弁で書かれたものは一生涯読めないだろうと遠慮していた。でもあるとき、ふとそうではないということに気づいた。

どんどん練習して読めばいい。少しぐらいおかしくても、ネイティブで達者な人からみるとちょっと気持ちが悪かろうと、どんどん読んで、議論を巻き起こしたらいいと思う。下手だと言われたりお手本を示してくれる人の言うことに耳をかたむけたりしながら、方言のことをもっともっとオープンにしていくことのほうが大事だなと思う。

だから関西弁もこのごろ読む。下手だけれど、うんと練習して挑戦。方言は文化遺産、他の方言を喋る人たちも一緒になって、方言の魅力に気づいていくことのほうが大事だと思う。

◉朗読はグループで広い視点を培う

心理療法の一つにロールプレイングというのがある。

だいたい二人から七人前後がひと組になって、ある場面、ある役割を想定し演じながら、自分の苦しさ、自分の陥っている今の状況への気づきを促していく。

そして、自分のトラブルが何から起こっているのかに気づけば、そこで解決への扉がひらかれることになる。ロールプレイングの人数はあんまり多すぎてもなかなか順番が回ってこないので効果が薄れ、七人前後までがいいとされている。

朗読のワークショップも同じ。一人ひとり今必要なこと学ぶべきことが違うので、教える側にとってはむずかしい。各自順番に朗読をしながら、それについてコーチが指摘していくが、前の人に言ったことと正反対のことを、次の人に言うこともある。

指導は、一貫性がないように見えるときもあるかもしれない。しかし、一人ひとり抱えている問題が違うのである。他人が何を言われているか、よく聴いていること。指導によって不具合がどのように修正され、聴きやすい朗読になっていくのかをよく確認することで、一人ひとりの問題の気づきを促していく。

マンツーマンの教授だと、短時間に今の自分の欠点を修正できるので、近道のように思えるが、グループワークショップのほうが他人の格闘する姿をみることで、人間に対する洞察力を深めていく学習にもなる。

たとえば、朗読は芝居と違って、男のセリフも女のセリフもしゃべらなければならない。

男性が女性のセリフを女らしくしゃべろうとすると、たいてい気持ちの悪いものになる。逆に女性が男のセリフを一生懸命男らしくしようとしゃべっても、気持ちの悪いものになる。芝居でいわゆる「くさいセリフ」というのがあるが、わざとらしいものは気持ちが悪い。

マンツーマンの訓練では、自分自身のセリフが気持ちが悪いかどうか、よくわからない。ところが、他人のしゃべるセリフの気持ちの悪さはすぐわかる。そこを指摘され格闘しているうちに、自然に気負わず異性のセリフを言うことができる時がくる。何が気持ちが悪く、何が平穏に聞けるのかが、他人の努力を見ていてはじめて分かる。ああ、自然にしゃべるということはこういうことなんだと気付く。自然体を会得することは、人生にとって宝物を得るようなことだといえる。

いっぽう、「思い込み」が朗読の技術向上を邪魔していることがある。たとえば、問いかけは語尾を上げるものと信じている人がいる。実は語尾を下げる言い方もあることに気付いていない。また悲しみに満ちた文章は悲しそうに読むものと思いこんでいる人がいる。透明に湿度は低く気高く読むことが大切なのに。しかし、みんなの前で、コーチに言われたことをなんとかしようと格闘しているうちに、ふとその「思い込み」から解放されて自由になる時がくる。そこが自然体を修得できた瞬間だ。

また、広い視点を培っていくこと。朗読というジャンルは人間への洞察力、理解力がとても必要とされる。自分の朗読の欠点を指摘されても、長い年月身につけた言葉の癖はなかなか修正がきかないが、ハッとそれに気づいたとき、解決が近くなる。自分自身がひとつ高いところに登ったような達成感が待っているのだ。朗読を勉強する面白さって、そこなのだろう。

◉クセのある読み方を矯正していったら、「個性がなくなるのでは」という心配

藤村志保さんはとびきりの美人女優というわけではないが、他の人にはない特別の美しさがあった。控えめな美しさ、含羞という言葉を体現して、不思議な雰囲気がある人だった。人より抜きんでなければ仕事にならない女優という職業と相反するその資質は、神様が与えたものにちがいないと思った。

その日は、私がこよなく敬愛する日本画家の堀文子先生の八十八歳（米寿）のお誕生祝

いだった。帝国ホテルで盛大に行われ、各界の先生のご友人方々がお集まりになって、二、三人の代表の方が祝辞を述べられた。そのあと、私は先生の足跡を、先生ご自身のエッセイでつづる朗読役を仰せつかっていた。

堀先生の日本語の文章の美しさは格別だ。誰のものでもないオリジナルな上品な言い回し、感動を率直にあらわすダイナミックな表現に満ちていて、聴くものを別世界に誘ってくれる。チェンバロ奏者の小澤章代さんの演奏に乗せて、十五分ぐらい、緊張気味に先生のエッセイを披露した。先生の世界が聴く人たちみんなを包んで終わる。私の役目がやっと終了。さあいよいよ立食のご馳走をいただける、と張り切っておなかを満たした直後のこと。

美しい気配の初老のご婦人が私のところにサッと近づいていらして、私の右手を彼女の両手が包んだ、先程お祝いの挨拶を述べていらした女優の藤村志保さんだと気づいた時には、私の手はすっかり志保さんのぬくもりを感じていた。驚愕とうっとりする感覚がおしよせ、実はあっけにとられていた。

「あなたの今の朗読はほんとうにすばらしかったわ。もう、すっかり堀先生の世界そのものになっていらして、あなた自身は気配が消えて、存在しなくなって黒子になりきっていらっしゃるのね。ほんとうの朗読というものは、ご本人がまったくなくなってしまうのだと感じ入りました」

耳を疑った。大女優の藤村志保さんが、この一介のアナウンサー出身の朗読者をほめてくださっているのだ。見ず知らずのぺーぺーの私を。私は心の中でうろたえて、どんなにボオッとしたかしれない。しかし、そのあと志保さんはご自分のおっしゃったことにハッとなさったようだった。能の小面が瞬間、虚空をにらむような光を帯びたこわい面に変わったかと思われ、私はゾクッとしたのだ。志保さんは半分、自分自身に言い聞かせるように続きをおっしゃった。

「いいえ、そうじゃないわ。あなたの朗読はまったくあなたがいなくなるとは言っても、あなたの体全体をめぐって、咀嚼（そしゃく）した上で出てくるものなんだわ。血と肉を通った上で。あなたの朗読はあなたそのものなのね。あなたにしかない朗読なんですね」

そこでふたたび表情を和ませ、「いい朗読をきかせていただきました」とおっしゃってその場をはなれていかれた。もう十年以上前の記憶だが、ひと言ひと言をよく覚えている。涙がこぼれそうだった。たった一度きりの会話だったが、藤村志保さんの記憶は私の中で燦然と輝いて、遠くの見果てぬ夢を照らしている。「芸」という見果てぬ夢を。あそこにたどりつきたいといつも思う。

　朗読って一人ひとりにいったい何の役にたつのだろうと思う。こんなにお金にならないものをまじめにやろうという人に、悪人はいないに違いない。それでもきっと何かの役にたっているのだろう。一人ひとりに及ぼす影響もまたそれぞれの事情によって違うのだろう、とまあ、憶測するばかり。しかし、朗読という分野の仲間意識でつながる面白さは格別なのだ。

実践編

小説を朗読する

✲俯瞰する眼と、クローズアップする眼
――永井荷風『つゆのあとさき』

朗読館の日本一小さな録音室（と人は呼ぶ）にて収録し、FM軽井沢で毎週土曜日に放送されている「軽井沢朗読散歩」は、永井荷風『つゆのあとさき』に入ってきた。

銀座のカフェの売れっ子女給君江が主人公。今日の収録箇所はバイプレーヤーの登場人物が二人だけだ。君江にソデにされた作家清岡の父親と清岡の妻、夫とは冷えきった関係にある鶴子の会話なのでやりやすい。

朗読ではいつもセリフの発声の最初の音で、話者が誰であるのかを瞬時にわかるように腐心する。それが、聴き手に余計な負荷を強いることなく、作品の情景

を頭のなかに浮かびやすくするものと信じているからだ。
だが人物が増えるにつれて難易度が高くなっていく。声質を変えたりテンポを変えたりとそれぞれの声を微妙に調整して、かつ人物の軸がぶれないように注意していても、しまいに登場人物が多すぎて誰が誰だかわからなくなるということも起こる。小説世界をイメージしやすくするにはその舞台全体を俯瞰して視る眼が必要だし、一方で、セリフを言う瞬間には登場人物に成りきる必要もあり、相反する別の集中力が必要になるというわけだ。俯瞰する眼と、ピンポイントクローズアップの眼、両者並行して進めるのは極めて難しい。

「鶴子、心持ちでもわるいのじゃないか。何なら少しお休みなさい。」
「いいえ。別に。」（略）
「顔色がよくない。」（略）「わしは人から聞いた話は何事によらず他言はしない。むかし細井平洲という先生は人の手紙を見ると其場で焼いてしまったという事だ。心配せん方がよい。」（略）
（略）「お話したいことが御在ますの。わたくし、お父さまより外には、お話したいと思いましても誰もお話する方が御在ませんから。」

（永井荷風『つゆのあとさき』「五」より）

老人と息子の嫁、二人の会話の部分なので、頭の中で人物の切り替え作業がラクにできるし、ここはゆっくりしたテンポが自然なので、台本を読んでいても余裕をもつことができる。楽しかった。

＊　＊　＊

今日中に『つゆのあとさき』をおしまいまで録ってしまいたかったのだけれど、ちょっと無理。今回は九章のみ。

これまで永井荷風は読んだことがなかった。地味なオヤジの世界観を代表するような作家だと思い込んでいたのだが、朗読してみたら、君江という主人公の奔放な生き方、考え方が身近に感じられるところもあって、どんどんおもしろくなっていく。永井荷風の登場人物をみる冷静な視線が好きになってきた。

江戸弁が駆使されていて、どう読んでいいのかわからないところがある。ソデにした昔の愛人の清岡が君江に逆恨みをしているから注意せよというニュアンスの手紙を、清岡の付き人のような若い男、村岡から君江がもらうくだり。

豊島区あうるすぽっと主催の「日本語の学校」に勉強に行っていた頃を思い出し、講師だった鴨下信一さんに思い切って電話をして、読み方を教えていただいた。

さすが鴨下さん。「あっちがあっちならこっちはこっちさ」という言い回しの読み方を電話で繰り返してくださる。江戸弁は早口でせっかちで語尾を呑み込むこと。江戸っ子特有のニュアンスを表現すれば、この小説が生きるとも。

電話でいきなり尋(き)いて瞬時に答えてくれる人物は日本中探してもほかにいないに違いない。「〝教唆〟も〝きょうさ〟ではなく〝そそのかし〟と読んだほうがいいよ」と。なるほどねえ、納得した。

（略）――空はからりと晴れ昼の中は涼風が吹き通っていたが夕方からぱったり歇(や)み、坐っていても油汗が出るような蒸暑い夜になった。（略）

君江は（略）束ねた洗髪を風に吹かせながら、街燈の光に手紙を開いて見た。（略）

君江は手紙の意味を手短に言ってしまえば、清岡先生はわたしを二号同様にしていたために奥さんに逃げられたのだから、そのつもりでどうかしなければいけない。このまま知らない顔をしていれば、清岡先生はやけ半分、何か仕返しをしないとも限るまい。どうか、そういう事のないように気をつけてくれというような事になると考えた。そして随分訳のわからない無理な事を言う人だと腹立しい心持になった。

　君江は暫くしてこの手紙は村岡の心から出たものではなく、内々清岡さんに言われて書いたものではないかと、気がついて見ると、あの晩西銀座の蕎麦屋へ這入りがけ、意外な処で村岡に出逢った時の様子から思合(おもいあわ)せて、自分が車から突落されたのも、事によると清岡さんの教唆(そそのかし)から起った事かも知れない。君江は突然襟首に寒さを覚えるような恐怖と共に、ナニ、先が先ならこっちもこっちで負けているものか。どうでも勝手にするがいいというような心持になった。

（永井荷風『つゆのあとさき』「九」より）

朗読では漢字をどう読むか、そこが勝負ということがよくある。辞書にこう書いてあるからこうしか読めないと思いがちだ。固定観念を取り払うのは怖かったり、自信がなかったりだが、人からの攻撃をかわすことばかり考えていては言葉の扉は開かないと、このごろ思う。

永井荷風『つゆのあとさき』「九」
QRコードで朗読を聴くことができます。

✻朗読に音楽をあてていくこと
──堀辰雄『風立ちぬ』『美しい村』

二〇一〇年に軽井沢朗読館を浅間山の中腹に建て、朗読三昧の人生をはじめようとするにあたって、あれこれ試みているうちに三年がたち、ひょんなことから軽井沢町立図書館の館長を引き受けることになった。全くの素人につとまるはずもないと最初は辞退したが、朗読に特化した図書館にすることもできるよとまわりにすすめられ、急に視界がひらけた。図書館の企画として手はじめに月に一度の中軽井沢図書館での朗読会をスタートさせた。

「館長朗読会」と銘打って毎月第二土曜日午後二時から三時と決めて、八年間、休まずつづけている。さすがに二〇二〇年三月から六月まではコロナ禍で中止せざるを得なかったが。それと同時に二〇二〇年四月から館長の任を解かれて、顧問兼名誉館長と肩書が変わった。一緒に朗読会も「名誉館長朗読会」となったというわけ。

二〇一九年四月の新年度スタートは堀辰雄作『風立ちぬ』一回目。長編なのでこれから何ヵ月かかるか、順次朗読していく。東京から小澤さん親子が演奏協力でかけつけてくれた。

チェンバロの小澤章代さんと小澤さんの次男の高志くんのチェロ演奏は、今日の『風立ちぬ』の朗読の前と前半が終わって休憩にはいり後半がはじまる前、そして全部が終わった時だ。二人は今日の朗読部分にインスピレーションを得て選曲した音楽を演奏する。また続いてミニ演奏会もある。高志くんは、日本に拠点を置いて活動しているスウェーデン人の世界的チェリスト、ベアンテ・ボーマン先生の直弟子でもある。

朗読に音楽をあてていくことについては、いろいろな考えかたがあるが、要はお客さんとの関係でちがってくる。今日はより気楽に楽しんでもらえるようにと工夫した。「朗読会」の基本は朗読だけで聴かせるというのが本筋だという人もいるが、朗読を聴くのはお客さんの集中力をとても必要とする。朗読を聴くのに慣れていないお客さんにはなおのこと。その集中力を保たせるために、音楽で一時別の世界へ誘ってパワーを回復してもらうということもあるだろう。朗読に効果音をそえて、お客さんの頭の中によりわかりやすい情景を作り上げる手助けをするラジオドラマのようなやり方もあるだろう。そんなことを考えていくともう、音の加え方は無数にある。もちろん音楽主体で、道案内的に朗読が入ってくる構成の方法もある。たとえばプロコフィエフの「ピーターと狼」はそのように最初からつくってあるし、サン＝サーンスの「動物の謝肉祭」なども朗読入りのものもあって楽しい。

ただひとつ注意しなければならないのは、人間の声より楽器の音のほうが強いし、音響はイメージをつくりやすいので、声と音楽を重ねるときは、そのバランスを十分に知り尽くした上で構成しなければ、せっかくの話の内容が頭に残らないことになってしまう。

それらの夏の日々、一面に薄(すすき)の生い茂った草原の中で、お前が立ったまま熱心に絵を描いていると、私はいつもその傍らの一本の白樺の木陰に身を横たえていたものだった。

（略）そのとき不意に、何処からともなく風が立った。私達の頭の上では、木の葉の間からちらちらっと覗いている藍色（あいいろ）が伸びたり縮んだりした。それと殆んど同時に、草むらの中に何かがばったりと倒れる物音を私達は耳にした。それは私達がそこに置きっぱなしにしてあった絵が、画架と共に、倒れた音らしかった。すぐ立ち上がって行こうとするお前を、私は、いまの一瞬の何物をも失うまいとするかのように無理に引き留めて、私のそばから離さないでいた。お前は私のするがままにさせていた。

風立ちぬ、いざ生きめやも。

（堀辰雄『風立ちぬ』「序曲」より）

＊　＊　＊

「館長朗読会〜風立ちぬ〜」の二回目。きょう音楽演奏で協力してくださるのはリュートの水戸茂雄さん。図書館には十二時に着くと言っていたが、来ないので

堀辰雄『風立ちぬ』「序曲」
QRコードで朗読を聴くことができます。

探しまわると、中軽井沢駅の喫茶アウォートでランチを食べている。そのままゆっくり食べてもらい、水戸さんが図書館の多目的室に戻り次第、準備の続きを行おうというういつもの慌ただしさ。私のほうは風邪がひどくて、全くの鼻声でこれではとても朗読には向かない状況だが、しかし、やるしかない。

話は、節子さんと婚約した「私」が節子さんの結核の療養のために八ヶ岳のサナトリウムに一緒に行くことにし、二人の不思議な形の愛の暮らしが始まるところだ。

堀辰雄の『風立ちぬ』と、立原道造の詩「のちのおもひに」（詩集『萱草に寄す』所収）は、軽井沢の高原の風とはかない命の印象で、軽井沢を全国区にした作品だ。

水戸さんの非常に繊細なリュートの音色が、ストーリーの展開を暗示する。リュートはまことに朗読にあう楽器だ。その演奏とあたたかいお客さんのまなざしに後押しされて、この読むのが難しい文章を何とか読み通すことができた。読んでいる時は「これでいいのか、お客さんには今、どう聴こえているのか」と、いつも頭の中に自分のつぶやきがエコーする作品。

こうして私達のすこし風変わりな愛の生活が始まった。
節子は入院以来、安静を命じられて、ずっと寝ついたきりだった。（略）
そんな或る夕暮れ、私はバルコンから、そして節子はベッドの上から、同じように、向うの山の背に入って間もない夕日を受けて、そのあたりの山だの丘だの松林だの山畑だのが、半ば鮮かな茜色（あかねいろ）を帯びながら、半ばまだ不確かなような鼠色（ねずみいろ）に徐々に侵され出しているのを、うっとりとして眺めていた。（略）
「何をそんなに考えているの？」私の背後から節子がとうとう口を切った。
「私達がずっと後になってね、今の私達の生活を思い出すようなことがあったら、それがどんなに美しいだろうと思っていたんだ」

（堀辰雄『風立ちぬ』「風立ちぬ」より）

＊　＊　＊

突然、私は心臓をしめつけられたように立ち止まった。私はそれらのヴィラに見覚えがあり出すのと同時に、これをこのまま行けば、私がこの日頃そこに近寄るのを勤めて避けるようにしていた、私の昔の女友達の別荘の前を通らなければならないことを認めたのだ。そして私は、その一家のものが二三日前からこの村に来ていることを宿の爺やから聞いて知っていたのだ。

（堀辰雄『美しい村』「暗い道」より）

堀辰雄の『美しい村』は、女性に対する主人公の心理を細かくあけすけに書いている。今の若い作家なら男性心理のチマチマした部分、ねちっこいところを面白おかしく書くこともそれほど珍しいことでもないが、戦時中のこの当時は書きにくいことだったにちがいない。

堀辰雄はそんなことはまったく頓着しない。文章も日本語らしくない。「あの」とか、「その」とか指示代名詞がすこぶる多い。目くらましにあったようだ。要するにとても読みにくい。

いつもなら「作家の魂に近づいて読みたい」などと、煙に巻くようなことを言うのだが、そんな域はおろか、どうやっても自然に聴こえるように読むのは至難だ。

複雑な長い文章を四苦八苦しながら、組み立てを解読するだけで大変なエネル

堀辰雄『美しい村』「暗い道」
QRコードで朗読を聴くことができます。

ギーがいる。朗読者にとってはただただ取っ組み合いをするばかりだが、聴き手にとっては、そんな朗読が剛速球のようにストレートにズシンと届く。かえって心に触れるというから不思議だ。朗読者は汗をかきかき、ひたすら格闘しているが、聴き手には素直にその真実が届く。魔法のような文章だ。

✼下読みでのチェック作業
――山本周五郎『赤ひげ診療譚』

「冬の軽井沢も体験してみたい」と遊びに来ていた友人たちはみんな、昨日帰って行った。また一人になって、静かな森の暮らしに戻る。今日の積雪は十センチほど。これ以上降らないでこのまま春が来てくれるといいのだけれど。

一日じゅう朗読館で練習している。山本周五郎の『赤ひげ診療譚』の最初の章、思ったようにできないところは何度も繰り返しながら格闘している。

主人公若き医師保本登の目でみた赤ひげの物語。冒頭から保本登のキャラクターづくりにつまずく。詩人から転向した室生犀星や島崎藤村のように、詩のリズムを体内に持っている作家は、散文作家と根本のところで朗読する側にとって違うところがある。

詩は単語そのものに色ツヤが醸(かも)されて、発音、発声の世界と添いやすいところがある。しかし、しかしなのだ、ストーリー展開に重きを置く散文では読み方の重心が変わってくる。

文章が短く乾いているから、だから読みにくいのか。たとえば歌で言うと、こぶしが回しにくいとか、自分の声をその言葉になじませにくいとか。声に含ませる自己表現をしにくい要素が入り込んでくる。

しかし本来、朗読するとき自己表現しようなんてそんな欲はないほうがいいに決まっているので、つまり自己表現をしようと思ったとたんに朗読の妖精たちはどこかへ行ってしまうのだから、声というものは難しいのだ。

主人公保本登のイメージが映画の加山雄三で固定されているのが、また問題を難しくしている。そうではなく、小説の本文にある保本登をどこまでもさがす。


その門の前に来たとき、保本登(やすもとのぼる)はしばらく立停って、番小屋のほうをぼんやりと眺めていた。宿酔(ふつかよい)で胸がむかむかし、頭がひどく重かった。

「ここだな」と彼は口の中でつぶやいた、「小石川養生所か」

だが頭の中ではちぐさのことを考えていた。彼の眼は門番小屋を眺めながら、同時に「暗い道」のおもかげを追っていたのだ。背丈の高い、ゆったりしたからだつきや、全身のやわらかいながれるような線や、眼鼻だちのぱちっとした、おもながで色の白い顔、――ちょっとどこかに手が触れても、すぐに頬が赤らみ、眼のうるんでくる顔などが、まるで彼を招きよせでもするように、ありありと眼にうかぶのであった。

「たった三年じゃないか」と彼はまたつぶやいた、「どうして待てなかったんだ、ちぐさ、どうしてだ」

一人の青年が来て、門のほうへゆきながら、振向いて彼を見た。服装と髪のかたちで、医師だということはすぐにわかる。登はわれに返り、その青年のあとから門番小屋へ近づいていった。彼が門番に名を告げていると、青年が戻って来て、保本さんですかと問いかけた。彼はうなずいた。

「わかってる」と青年は門番に云った、「おれが案内するからいい」

そして登に会釈して、どうぞと気取った一揖(いちゆう)をし、並んで歩きだした。

「私は津川玄三という者です」と青年があいそよく云った、「あなたの来るのを待っていたんですよ」

登は黙って相手を見た。

（山本周五郎『赤ひげ診療譚』「狂女の話」より）

「一揖（いちゆう）」なんて、いまは言わないけれど、作家があえて使った漢字は大切に発音する。「一揖（いちゆう）」とは浅いお辞儀（神社で鳥居を潜るときなど軽くお辞儀をする、あのお辞儀）。耳慣れない死語になった言葉も、発音する瞬間は蘇る。この言い回しがこの先、未来に受け継がれていきますようにという願いをこめて、大切に言う。

午後から夕方にかけて雪が舞った。夕方、郵便を出しに麓の町に下りる。下るとき危うく急カーブで道の脇に突っ込むところだった。どんなにゆっくり降りても、ブレーキもハンドルも利かなくなる。冬道の怖いこと。

＊　＊　＊

三日続けてリスがやってきた。リスが鳥の餌台に乗ったままヒマワリの種を食べ散らかしているのを、小鳥たちが取り巻いて見ている。手をこまねいてお手上げという様子だ。いや、羽根をこまねいて、というのかなあ。

リスときたらエサ台のヒマワリがぜんぶ無くなるまで食べ尽くす。しかし、小諸城跡で二年前に買ってとっておいた鬼グルミを置くと一個ずつ持って帰る。三個置いたのだが、一日にひとつずつ減っていく。へんだなあ。

この時期、図書館は一年で一番利用者が少ない。きょうは誰も使わない図書館の多目的室を独り占めして、練習、練習。山本周五郎の『赤ひげ診療譚』の文章は短く切れがよく、ウエットではない。

本来は読みやすいはずなのだが、難しい。その乾いた情感を乾いたまま、ぶっきらぼうに伝えるといいのだろうか。どうしたら物語を立体的に音声で伝えられるのか、あれこれ試す毎日。

＊　＊　＊

朝から『赤ひげ診療譚』に入って四回目の収録。今日になってやっと『赤ひげ診療譚』の世界が立ちあがった実感があった。

朗読するとき、映画『赤ひげ』の三船敏郎や加山雄三の立ち働く世界のイメージに、どうしても引きずられてきた。映画は名作だ。できすぎているのだもの。そこを原文に、より忠実にと格闘。自分のなかで赤ひげと保本登のキャラクターが決まると、周りの世界が一気に出現。声だけで伝える物語ができてきた。それに加えて、ストーリー展開に重点をおいた作品を朗読する難しさも思い出してきた。

まず最初に、人物とシチュエーションを、聴き手の頭にしっかり定着させること。初めはゆっくり、ゆっくり読む。それからスピードアップ。あとは場面ごとのテンポが重要になってくる。

一回の収録でだいたい三回の下読みをする。三回目は収録直前、かなりのスピードで一時間ほど前に行うと決める。直近の下読みをすると、収録時にはまだ場面の空間把握が残像として頭に残っていて、場面場面で適切な声のスピードを使うことができる。

下読みのコツもわかってきた。下読みには膨大な時間がとられるし、何のためにこんな面倒な、言葉への奉仕のような仕事を真剣にしているのかと思うときもある。

しかし、これをやらないと文芸作品の朗読はできない。苦しい時間も、美しさを生み出す力になるのだと信じて、大真面目に自分に発破をかける感じ。人から見るとブツブツ、モゴモゴ言っている姿はへんだろうなあ。

悪戦苦闘すると、いいこともある。声に関わる筋肉の力は齢とともに衰えていくけれど、膨大な練習を重ねることでまた別の力が備わってくることもあるのだ。どこまでいっても、終わりなどない世界。

『赤ひげ診療譚』に〝極貧者〟という言葉がよく出てくる。「ごくひんしゃ」と読んで違うような気がして、「ごくひんじゃ」と録音しなおす。三ページ先に同じ言葉が出てきたときには「ごくひんじゃ」と読んでまた違うような気がし、「ごくひんしゃ」と読み、やっぱり違う、と行き詰まってしまった。

ネットなどあれこれ調べても載っていないので、自力で考えるうちに、朗読では「ごくひんもの」と読むのがいちばん落ち着くと気づき、そう読むことにした。ときどき勝手に読む。

＊　＊　＊

今日という日はとんでもない驚きではじまる。朝四時四十五分、まだ薄暗い。必死の鳥の声で目がさめた。リビングから見えるカラマツの木にとりつけたムササビ用の巣箱の方角から聞こえる。一羽ではなく三羽から五羽ぐらいの集団の声だ。鳥にしては低音でギャーギャーとわめいている感じだ。慌ただしく叱っているようにも、人間の声のようにも聞こえる。そこでまた寝てしまった。

再び六時に、今度は寝床から起き上がる。九時まで『赤ひげ診療譚』の下読みを続け、途中で犬を連れて散歩に出ると、小鳥がムササビの巣箱に入っていくのが見えた。しかも一度ではなく何度も出入りしている。ひと月ほど前もいちど巣箱に入る鳥を見かけて、こんなに大きな巣箱に四十雀（しじゅうから）が入るはずはない、目の錯覚だと思ったが、今度は錯覚ではない。

「ピッキオ」という自然保護団体の星野裕一さんに電話をかけ状況を説明すると、巣作りにしては遅いので雛を育てるのを失敗した鳥が二回目の営巣をしているのかもしれないという。餌をくわえているのであれば中に子供がいるから、注意して見るようにという。チラチラ巣箱をみながら下読みを続けたが、そのうち山本周五郎の時代劇に入り込んでしまって周りが見えなくなった。

下読みは三回おこなえば、本番に臨むのが平均的だ。最初の下読みは、活字に沿って目を移していく時に、つっかえたり間違って読んだりしやすい場所にしるしを付けていく。特に読み方がいくつもある漢字は、どんな簡単な読みでもルビを振る。脳のニューロンの流れを瞬時でも止めないために。ひらがながずっと続いている文章は構造が分かりやすくなるように、ところどころ丸で囲む。大まかな地図を作る感じ。

二回目はさらによどみなく読めるか、心に引っかかるものがないかどうか、ちょっと躓くようになるところがないかどうかをチェックし、あればさらにしるしをつける。ここまでは普通のスピードで丁寧に声に出す。思うように表現できないところは何度でも何十回でも繰り返す。

三回目は文章の流れに沿って、自分の頭脳がその流れに乗れるかどうかのチェック。すごいスピードでぼそぼそとした声で読む。それにより文章に潜んでいる癖やリズムを、自分の体感にフィットさせる。

天竜川なのか淀川なのか、瀬なのか淵なのかで声の音色は全然違ってくる。天竜川は急峻でちょっと明るく言う。淀川はまったり、ちょっとひらたく。

一字も間違わずに猛スピードで言えるか、他の要素はとりあえず放置して、内容に集中して作品世界を頭の中に忠実に再現できるよう叩き込む。下読み三回なんて、少なすぎるだろうか。しかし日々あまりに膨大な量なのでこれが限界。本音はいくらでもやりたい。

九時からＦＭ軽井沢の収録に臨んだが、今までいちばん物語性のある朗読になった。こんなことに気づくまでになんと歳月がかかったことだろう。今まで二時間かかるところが一時間で収録できたものだから、スタジオから出てくると、ありあまる時間があった。

仕事の後の解放感で、ムササビ用の巣箱をなんともなしに見ていると、ワラワラと小ぶりの四十雀（しじゅうから）が四、五羽出てきた。上手く飛べないで、やっとのことで枝につかまるものもある。羽根を地面と平行に羽ばたかせるものだから、どんどん下へ落ちていく。違う、違う、羽根は上下にはばたかせなくちゃ。落ちるーっと思うと、地面すれすれで羽ばたき方に気付いたようだ。飛び上がった。大きな親鳥だろうか、二羽が心配そうにその四、五羽の周りを飛び回っている。巣立ちだ。ふだんは鳥なんぞ見かけても、その心などわかるはずもない。

しかし、この巣立ちを見ていると一羽一羽の言葉が聞こえるように思えた。夢の中でギャーギャーと聞こえた会話は親鳥の懸命の促しだったのだ。星野さんによると巣立ちの前は餌をやらないそうだ。おなかをすかせて思い切って自分で餌をとりに行こうとするその機運を後押しするのだそうだ。

そういえば『赤ひげ診療譚』は雛が鳥になる成長物語。ここにいて八年経って初めて見たドラマだった。

＊　＊　＊

『赤ひげ診療譚』「鶯ばか」をお終いまで録音。二人の女の凄まじい喧嘩のシーンがあるのだが、そこがなかなか読めない。喧嘩のテンポが出ない。

芝居は二人でやるからいいけど、二人の気持ちに交互に感情移入して一人で再現しようとすると、自分の脳が切り替わらない。女同士のやりとりの速さに追いついていけない。朗読でこの場面を表現するのは極度に難しいとわかった。

それなら芝居を再現するようなテンポはやめて、朗読としての本道、ゆっくりでもいいから、丁寧に素直に聴いてもらう姿勢に徹することにする。喧嘩のすさまじさは聴き手の頭の中で再構築してください。どうぞよろしくお願いします、と聴き手に全部預けたカタチ。朗読は本来それでいいのだが、自分としてはちょっとくやしい。

編集の腕をかりる選択もある。放送では編集でかなり間を適切な長さに縮めることができる。そこが舞台とは違う。楽曲の収録の場合、何テイクも録音していいところを繋いでいくあの方法に近い。生の舞台で朗読となると、やっぱりこの女同士の喧嘩は一人では読めないだろうなあ。

路地の左右では戸外で煮焚(にた)きをする者が多く、その火の側には男たちか、老婆の姿しか見えなかった。赤く靄を暈(ぼ)かしている火の側から、男たちは登に呼びかけ、笑いながら、向うで聞える騒ぎのほうへ肩をしゃくってみせた。

「かかあ連中のお慰(なぐさ)みでさ、へっ」と男の一人は云った、「みんなこういうことになるのを待ってたんですからね、ああいう女はかかあ連中には仇(あだ)がたきみてえなもんだ、うっちゃっときなせえ先生、へたにとめようとでもするとひっ搔かれますぜ」

「そうらしいな」登は立停った。

霧でわからないが、おきぬの家のあたりで、家財でも投げだしているらしい、器物の毀れる音がし、女たちが揉みあい喚きあっていた。中でもいちばんよく聞えるのはおけいと、当のおきぬの声であった。

「殴りゃがったな、うぬ」というのはおきぬの声である、「人の頭へ手を当てやがったな、こいつら、きっ」

「これが人間の頭か、これが」というのはおけいの声で、「てめえにあるのは腰だけだろう、この腰で男をちょろまかしゃあがって、この口で人を殺しゃあがった、この淫乱の人殺しあま、こうしてくれるぞ」

「なにが人殺しだいっ」とおきぬがどなり返す、殴りあう音といっしょだが、張りのあるいさましい声だ、「泥棒だから泥棒だって云ったんだ、それがなんで人殺しだ」

「長が泥棒ならうぬは男ぬすっとの男強盗のはっつけあまだ、こう、こう、こう」殴る音と同時におけいが叫ぶ、「出ていけ、てめえなんぞにいられれちゃあ長屋ぜんたいの恥っさらしだ、うせろ、出てうせろ」

「出ていけこのあま」他の女房の声が聞えた、「うちの宿六にまでいろ眼なんぞ使やあがって、こんちくしょう、かっちゃぶいてくれる」

「きっ、やりゃあがったな」

「かっちゃぶいてくれる、このいろきちげえめ、死んじまえ」

登は踵（きびす）を返して差配の家へいった。

（山本周五郎『赤ひげ診療譚』「鶯ばか　七」より）

＊　＊　＊

朝七時過ぎ、早めに東京の家を出て軽井沢へ出発する。夕方四時から『赤ひげ診療譚』の収録。すでに半年近くを費やしてやっと最後の章「氷の下の芽」まできた。若き医師、保本登の成長がすがすがしい。山本周五郎の人間に対する希望、まっすぐな信頼を感じる。

山本周五郎という人はいっさいの賞を断り続けた人だったという。この頃、そ

山本周五郎『赤ひげ診療譚』「鶯ばか　七」
QRコードで朗読を聴くことができます。

ういう人をほとんど見かけない。敬愛する画家の堀文子先生はまさしく数少ないそういう人だった。堀先生が私の知る限りでは最後の人ではないかしら。そういえば谷川俊太郎さんも賞はいただかないそうだ。しかし「詩」の世界の賞だけは意味があるのでもらうのだとおっしゃっていた。

収録途中ドラムのような音がするので録音をやめざるを得なかった。アカゲラに違いないと木和田ディレクターがいうので、二人して出てみると、案の定、アカゲラが朗読館の木造の壁から木の梢のほうに飛んでいった。軽井沢ならではの録音だ。

✻小説の朗読のふた通りのやり方
——太宰治『人間失格』

『人間失格』の収録スタート。『走れメロス』と『斜陽』はかなり以前に放送した。太宰治作品の朗読では三作目になる。この有名な作品を遠ざけていたのは、読んだことがなく、漠然と怖かったからだ。『斜陽』放送のあと『人間失格』も続けようという話もあったのだが、ディレクター氏の「暗いですよ、気が進まないなあ」と言うことばも、後回しになった要因でもある。

「軽井沢朗読散歩」の収録はふた通りのやり方がある。

全体に目をとおして、内容を十分把握してから読んでいく普通のやり方。

もうひとつは、聴く人と同じ立場で、内容がわからないまま、その日の収録分だけを読んでいくやり方。つまりあまりに忙しくて全編を読む暇がないとき、収録のところだけ何回か下読みして、録音に臨む。

朗読の風上にもおけない、ずぼらだとおもうだろうか。しかしこれが面白いのだ。驚きと発見に満ちて先に進んでいくほうが、聴き手の気持ちと同時進行で物語に分け入っていく感じ。

むかしは、朗読というものは「百回黙読して初めて声に出す」などと言われたものだが、それはある種、精神論的朗読術であって、朗読の方法というのはひと通りではない。

言えるのは、自己の朗読の技量をお客さんに披露するのではなく、いちばん大切なのは作品世界なのだ。自身をよく見せたいという欲望など自分の心に湧くさまざまな思い、つまり雑念、雑情報はいらない。なにより作家の世界をしっかりイメージして、朗読者の中に潜むよけいな情報を作品世界に混入させないこと。作品に読み手の欲望と夾雑物を持ち込まないように、作家の魂と齟齬が生じないように気をつける。黒子になるなんて、つまらない、それじゃあ自分がなくなるじゃないかと思うだろうか。いや、そこからが自分自身のスタートラインなのだ。

とはいうものの、結末まで読んでいない霧の中を手さぐりで進む朗読はヒリヒリと不安感が押し寄せ、自分との格闘になる。

『人間失格』冒頭の「はしがき」を読む。このさき作家は何を書こうとしているのか見当がつかない、空気感がつかめない。内容も知らずに朗読していいのかと、お客さんのお咎めの声も聞こえそうだが、いいのです。だって、そう書いてあるんですもの。「不安」という鐘がガンガン鳴っているように書いてある。

最初の一行を声にしたとき、これが悲劇か喜劇か、何を言わんとして書き始められたものか、漠然ながら、直観でわかることが多い。だがしかし、『人間失格』ときたら「お化け」の話かと思ったほど、わからなかった。そうして読み進むうちに、お化けではないけれども、やっぱり人間の心の裡に棲むメチャクチャな魔性が語らせるような話であることが判ってくる。すくなくともこの点は、間違ってはいなかったのだ。

私は、その男の写真を三葉、見たことがある。

一葉は、その男の、幼年時代、とでも言うべきであろうか、十歳前後かと推定される頃の写真であって、その子供が大勢の女のひとに取りかこまれ、（それは、その子供の姉たち、妹たち、それから、従姉妹たちかと想像される）庭園の池のほとりに、荒い縞の袴をはいて立ち、首を三十度ほど左に傾け、醜く笑っている写真である。醜く？　けれども、鈍い人たち（つまり、美醜などに関心を持たぬ人たち）は、面白くも何とも無いような顔をして、

「可愛い坊ちゃんですね」

といい加減なお世辞を言っても、まんざら空お世辞に聞えないくらいの、謂わば通俗の「可愛らしさ」みたいな影もその子供の笑顔に無いわけではないのだが、しかし、いささかでも、美醜に就いての訓練を経て来たひとなら、ひとめ見てすぐ、

「なんて、いやな子供だ」

と頗る不快そうに呟き、毛虫でも払いのける時のような手つきで、その写真をほうり投げるかも知れない。

（太宰治『人間失格』冒頭より）

太宰治『人間失格』冒頭
QRコードで朗読を聴くことができます。

太宰治『人間失格』の収録が続く。名作といわれているだけあって、ほかの誰にも書けないであろう迫力がある。

＊　＊　＊

二回目の収録で、中学・高校時代の太宰その人に出会う。きょう読んでいていちばん難しかったのは、主人公は出版社勤めの女性のところに転がり込んでヒモのような暮らしをはじめるのだが、その女はシングルマザーで娘がいる。女が働きにいっているあいだ、主人公は五歳の娘シゲ子の面倒をみるようになる。シゲ子は彼になついて「オトウチャン」と呼ぶようになるが、二人が遊ぶシーンが恐ろしい。


「シゲちゃんは、いったい、神様に何をおねだりしたいの？」

自分は、何気無さそうに話頭を転じました。

「シゲ子はね、シゲ子の本当のお父ちゃんがほしいの」

ぎょっとして、くらくら目まいしました。敵。自分がシゲ子の敵なのか、シゲ子が自分の敵なのか、とにかく、ここにも自分をおびやかすおそろしい大人がいたのだ……

（太宰治『人間失格』「第三の手記　一」より）

シゲ子の声が難しい。五歳の女の子であり、心を癒す無垢な子どもなのだ。だいたいが「本当のお父ちゃんがほしい」という五歳児の言葉に、「自分を脅かす大人がここにもいる」と捉えて動揺するものか？　ふつうの感覚とはズレている気もする。が、とてもリアルな感覚であるとも言える。

聖母マリアに抱かれた幼子のような「無垢」な声をイメージして発声できたら、それはそれで「無垢の持つ刃」がキラリと閃く恐ろしい空気を醸し出せるのかもしれない。ああ、難しいなあ。

今日の収録は『人間失格』の最後まで行きたかったが、あと一回分を残してタイムリミット。

「無垢」といえば、もうひとつ。主人公は疑うことを知らぬ「無垢」な娘と結婚

太宰治『人間失格』「第三の手記　一」
QRコードで朗読を聴くことができます。

する。作品のなかでは、なんだか主人公がその処女性に脱帽している感じ。その妻の声がうまく表現できない。というより、自分で納得できない。大人版「無垢の刃」とでもいうべき声をイメージで伝えることが難しい。声のコントロールがうまくいかない。

くだんの新妻が原稿取りの男に凌辱される場面を夫に見られて釈明をする。「だってなんにもしないって言うから……」と弁解する、その言葉が難しいのだ。「無垢の無知」みたいなイメージを自分のなかで掻き集めて言葉にすると、なんか違う。

朗読というのは、ああ表現しよう、こう表現しようと、練習の段階であれこれ試みるのは大切だが、そんな小手先のことではうまくいかない。やっぱり、落ち着いて率直に、心を平らかにして、言葉の生まれてきたそのままの役割に立ち返って、一言ひとことをケレン味なく発音していけば、世界が立ち上がってくるというものだ、と信じたいが……。『人間失格』でいちばん迷ったのは、そんなことだろうか。

いよいよ『人間失格』最終回、収録完了。

六時三十分に起きて、いつものようにざっと内容をつかむことを優先に猛スピードで声を出す。内容が頭に入っていたので、スムースに収録が進む。十時半には終わり、お次は夏目漱石をとりあげることが決まる。

朗読館を閉めて、午後図書館に寄って、図書館スタッフのおやつに盛ってあるお饅頭をひとつだけこっそり胃袋に納めて、東京に出発。夕刻六時に練馬到着。

✻朗読と音楽を並列にして楽しむ
――髙樹のぶ子「蜜蜂とバッタ」「月の舟」「虫時雨」

軽井沢は雨だ。まだ誰も起きてこない。雨の日のチワワ犬のシンチャンの散歩は決まっている。玄関ドアから出て、すぐ右、朗読館の漆喰風の壁におしっこだけするとすぐ朗読館に戻りたがる。雨が嫌いなのだ。東京にいるときは狭い家のリビングは家の中だと思うのかおしっこはしないが、朗読館ではリビング自体が東京の何倍もあって、リビングが野原だと思うのか平気でおしっこをあちこちするのでたまらない。シンチャンの空間把握はなっていない。どうやったら躾けができるだろう。

十一時から髙樹のぶ子さん書き下ろし「蜜蜂とバッタ」のリハーサルをおこな

っているとなかばで髙樹さんがあらわれた。髙樹さんは夏のこの時期、お住まいの福岡から東京に芥川賞の選考委員として出席するために飛んでくる。そのついでに朗読館に足をのばして、自作の書き下ろしの短編に音響や音楽を付けて壮大な実験のような音と物語の饗宴を繰り広げるのを楽しみにしてくださっている。ことしはスペシャル・ゲストの喜多直毅さんのバイオリンと小澤章代さんのチェンバロ。喜多さんのバイオリンの音がキリキリと気持ちを揺さぶる。なんでこんな音が出るのだろう。きれいな音ばかりではない。雑音か悲鳴に近いときもある。むせび泣くような、すすり泣くような、聴いているだけでこちらも泣きたくなる。

もともと朗読には音響はいらない。素読みを聴くのが基本だ。だが素読みは聴き手に相当の聴く力を要求する。小説世界を頭の中に描きつづける集中力が必要になる。大雑把に言って三十分ぐらい聴いているとたいてい疲れてくる。一方で、音楽を聴くのに集中力はいらない。聴くだけで脳内に的確な情感をつくり出す。また音響、いわゆるSE、サウンド・エフェクトが加わると、ラジオドラマ的になる。聴いているだけで、音響が情景を補ってくれる。ますます聴くのがラクになる。その場合の朗読と音の付け方の関係は無数にあるといっていいし、ピタリと加減が合うと、まさしくピタリと小説世界を出現させる。

　では一歩進んで、楽器を効果として使うのではなく、本来の音楽として朗読の内容と互角に並列させ楽しむことはできるのだろうか。

　そこに目を付けたのが髙樹のぶ子さん。朗読館でこの七年、髙樹さんの書き下ろしに音を組み込ませながら、音楽の世界と朗読の世界を互角に融和させることはできないのかと髙樹さんは思ったのではないか。一作一作同じ手法の上にいたくない髙樹さんの冒険心に触発されて、朗読家の私と音響の飯村佳之さんと演奏家のみなさんの挑戦が、シリーズ『もののものがたり』を進化させていった。『もののものがたり』とは髙樹のぶ子さんの身のまわりにある「もの」を題材にした作品で、ひと夏二編を上演してきた。「蜜蜂とバッタ」はその最後を飾る作品。ベネチアングラスの小さなマスコット「蜜蜂」と「バッタ」が話したり飛んだりする。

　結果はすばらしい出来だった。この七年はやっぱり無駄にはなっていなかった。毎年積み重ねてきて、文学と声と音楽の領域をまたぐアートが育っているのを実感した。

テレビドラマなどの世界を見ていると、評価がある程度定まった人たちが出演者として登場し、そんな人たちが芸術を牽引しているのだと思いがちだが、こうして朗読館に集まる志を同じくするメンバーを見ていると、お互いに影響し合って何倍もの力が生み出されてくる。それがアートだ、小さな芽が大きく育っていくそのエネルギーこそアートだと実感できる。

最初はみんなシャイで自信がなくて、それがお互い伸び伸びと自己を発揮できる環境のなかで、仲間同士、おずおずと扉を開いて大空に出ていく、そんな感じか。それにしても朗読館の仲間たちはなんと謙虚なうつむきがちな人たちが多いのだろう。それがある時、天に向かって伸びていくのをみると、人生礼賛なのだ。偶然に出会った人たちの隠された伏流水が本流となってひとつになる感動を味わわせてくれるこの年月が嬉しい。これでよかったと、自分のやってきたことを振り返る一瞬。髙樹さんに感謝。

蜜蜂とバッタは、時々樹木の枝葉で休みながらも、帰巣本能に任せて海岸通りを右折した。（中略）目の前に広い砂浜が広がっている。その向こうに海が弓なりに盛り上がり、視界の端から端まで繫がっていた。夏の終わりの疲れ切った太陽が、それでもまだ力を見せつけて白く光っているけれど、その光が赤く鈍り、オレンジに覆われ、さらにサフランの黄色をのこしたところで灰紺に呑み込まれるのは、時間の問題だろう。

砂の感触を思い出しながら水際まで歩いていくと、マーラーのアダージェットが足元に寄り添うように湧いてくる。足に触れたとたん、波は泡になって砂に吸い込まれていく。アダージェットに区切りがないように、永遠に続く寄せ波と引き波。

（髙樹のぶ子「蜜蜂とバッタ」朗読台本より）

かつての恋、思い出の場所ベネチアをベネチアグラスで作られた蜜蜂とバッタが飛び回るラストシーン。ヴィスコンティが監督した映画「ベニスに死す」の中で使われたマーラーの交響曲第五番のアダージェットがこの短編のメイン・イメージ曲に使われているが、喜多さんと小澤さんの作曲、演奏が、さらに物語のテンションを上げていくのだ。

髙樹のぶ子「蜜蜂とバッタ」朗読台本
QRコードで朗読を聴くことができます。

演奏と物語が、対等に据えられた最初の取り組みだった。

＊　＊　＊

軽井沢朗読館でおこなっていた髙樹さんの書き下ろし作品朗読会が、二〇一七年夏に終了した。年があけて一月に同じものを小田急線成城学園前駅すぐのアトリエ第Q藝術に移しておこない、それ以降は年一回定期的に九月に同じ劇場で開催することになった。こんどは「歳時記」の中の季語をテーマにとりあげて、シリーズ「歳時記　夢幻舞台」と題して、文学を声で届けたいという髙樹さんの熱意が生んだやりがいのある試みがつづく。

「歳時記」から「月」を題材にとった「月の舟」と「虫時雨」の二作品の初日。高井戸駅のガード下京王ストアで八人分のおにぎりを買い、成城学園前駅のアトリエ第Q藝術に着くと、由井茉彩さんと増子玲奈さんがすでに飯村さん指示のもと、舞台のセッティングをおこなっていた。黄色いプラスチックの大きな漬物桶に荒布を巻いたりそれを荒縄で縛ったりしている。いかにも漬物桶然としたものを、見かけだけでも楽器のようにしようと努力はするがうまくいかない。漬物桶の表面はつるつるで、麻布が巻きつかない。その横にはスチール製窓枠を何本もぶら下げて音の出るものを作っている。これはそこそこ楽器に見える。そうこうしているうちに髙樹さんが現われ、バイオリンの喜多さん小澤さんもそろってリハーサルとなった。

これはある少女の、不幸に見えてとても幸福な話です。少女の名前は里子。里子は四歳のとき、母を亡くしました。母が死んだ日のことを、うっすらと覚えてはいますが、それはあとで叔母達に話して聞かされたのを、実際の記憶と思い込んでいるだけかもしれません。（中略）

——里子は年下の男の子のいる叔母の家にもらわれていきすくすく成長する。ある日初潮を迎えびっくりし、仰天し、うろたえながらも、月を見上げると生みの母親の声が聞こえてきた。

「……里子に何が起きたのか、知っているわね……」

満月から母の声が届いた。声の方向を見上げると、満月の下の部分が口のように動いている。里子は一歩前へ踏み出して答えた。

「保健体育で習ったから知ってるよ。でも、誰にも言えないの。どうすればいい？」

「おばさんに言えばいいのよ。きっとお赤飯炊いて喜んでくれるわ」

「お赤飯なんて欲しくない。道夫がきっとヘンに思うし、からかうし、だからおかあさんにしか言えない。おかあさん助けて！」

満月の母が、かすかに笑っている。いや、はらはらと泣いている気もした。

（髙樹のぶ子「月の舟」朗読台本より）


「月の舟」のリハーサル後、髙樹さんから読み方の指示があった。「あの世に行っちゃっている里子のお母さんの声は、だからと言って暗くならないように、これは幸福な話なのだから、もっとお母さんの話し方は豊かに」という注文。

なるほど。このぐらいなら本番間近でも方向転換可能だ。四歳で母を亡くした女の子の前にあらわれる魂となった母親の語りかけは、どうしたって悲しいスト

髙樹のぶ子「月の舟」朗読台本
QRコードで朗読を聴くことができます。

ーリーにありがちな声だと思いがち。慈しみ深い観音様の声をイメージしていたが、どうやら暗くなっていたようだ。

次の作品「虫時雨」はもっと大きな髙樹監督の変更指示が出た。徘徊するおばあさん。痴呆も進んでいるようだ。そのおばあさんの心の中は今まで二十二歳。だから二十二歳の声で語ったら、まったく違うといわれた。観客にはおばあさんの声でなければおばあさんだと伝わらないという。

なるほど、そうなのだが、おばあさんの心の中に展開する自己のイメージを、ではどう伝えたらいいのか。二十二歳の声のほうが、おばあさんの今の世界を伝えやすいんだけどなあ。それで練習してきたしなあ。とはいえ、十六時までの開演に三十分しかないなか、地下のワインパーティが用意されている部屋に下りて籠り、大声を出しながら懸命におばあさんの声を探った。時間がないので焦りもするが、もうどうとなれという開き直り。まだおばあさんの人物像が十分にこなせていない段階で、気持ちの悪いものをお客に聴かせたとしてもそれはそれで仕方がないか。

高樹さんの指示通りに突進することがこの状況を突破できる一番の近道だと信

じて、いちかばちかやってみるしかない。本番は、痴呆のおばあさんの声を使って二十二歳と思いこんでいる自分のコケティッシュなセリフを読むと、おばあさんの狂気と哀しさが飛び出してきた。

――毎年夏の終わりに、老婆は家族の目をすり抜けて河川敷に広がる草むらを徘徊する。心は二十二歳の女性に戻っている。昔の恋人が小さな虫になって現れる。彼女もぐんぐん背が縮んで小さな虫になる。第二次大戦中もっとも悲惨なインパール作戦で亡くなった恋人と今年も出会う。

「私ですよ」

声を掛けると、女郎花の枯れた葉の間から細長い顔の虫が、ひょいと飛び跳ねて現れた。ウマオイに似ているけれど、多少頭の形が違い、こちらはウシオイ虫である。

「私よ私……あなたのモニワ羽虫ちゃんが来ましたよ……」

「良く来てくれたね……ありがとう……逢いたかった」

ウシオイ虫の男らしい嗄れ声が嬉しく、彼女がウシオイ虫に顔を近づけるために身を屈めると、茅萱の長い葉が小川のように大きく広くなり、彼女はその縁にかろうじて身体を留めている白い羽虫になった。

「それで良い、その大きさならゆっくり話が出来る」

ウシオイ虫とモニワ羽虫。

両方にこの名前を付けたのはウシオイ虫の方だった。

それももう、ずいぶんと昔のことで、何度もここで逢っていると、どうしてそんな名前をつけたのかも、忘れてしまっている。それで遭うたび、「なぜ私はモニワ羽虫なの？　なぜあなたはウシオイ虫なの？」と尋ねることになった。

（髙樹のぶ子「虫時雨」朗読台本より）

この年から「歳時記　夢幻舞台」をひっさげて、髙樹のぶ子一座は文化庁の主催で全国の中学高校をまわることになった。コロナ禍にもかかわらず、全国からの上演希望が殺到している。新しい感覚を持つ子供たちが育ってくることを願ってやまない。

髙樹のぶ子「虫時雨」朗読台本
QRコードで朗読を聴くことができます。

✲読み聞かせと朗読のちがいは

――恩田陸『蜜蜂と遠雷』

朗読館の空は朝から曇り。このところずっとそうだ。それに気温が十八度と寒い。真夏だというのに太陽が少しも顔を出してくれない。夏の暑さは苦手だが、陽が注がないとこれもまた不安になるから勝手なものだ。

昨日に続いて図書館で『蜜蜂と遠雷』朗読会の特訓。図書館の朗読ボランティアグループからの選抜チームをＮＨＫの先輩・遠藤敦子さんと私とできたえている。

ＮＨＫの現役時代、同じアナウンス室に所属していながら、接点がないまま過ごしていた。担当する番組によって全く顔を合わせないこともあるのだ。それがめぐりめぐって軽井沢で再会し、はじめてその人の人間的な側面にふれ、もっと早く知っていればよかったと失われた時間を考え、仕事社会の無情を思ったりする。小宮山洋子さんもそうだし、図書館の朗読グループのコーチを全くの手弁当でひきうけてくれた遠藤敦子さんもその一人。東京から定期的に来てくださる遠藤さんとタッグを組んで、恩田陸の話題作『蜜蜂と遠雷』の朗読会をひらくことになった。

最初の生徒は島村つぎ子さん。住まいのある千葉の松戸から昨日軽井沢に入ったという。つぎ子さんは図書館ボランティアグループ「お話ツリー」の大きな幹のような人だ。メンバーはやりくりして軽井沢と東京を行ったり来たりしている人も多い。どのグループにも館長としては顔を出して「感謝の気持ち」を表明したいとも思うし、そういう役割なのだから館長としてやるべきことは果たさねばとも思うが、この夏の忙しさは尋常ではないので「ねばならぬ」はすべてパス。しかし朗読特訓ははずせない。

さてさて、つぎ子さんの朗読は長年子どもの読み聞かせをおこなってきただけに、パッと明るく子どもの気持ちを引きつける。一日一日を子どもたちに向かって丁寧に誠実に生きてきたということが、自然に現れている。子どもたちへの読み聞かせと大人の朗読は本来そんなに別物として扱うものではないのだけれど、身についた「小さい子ども向け」という島村さんの姿勢は、変えたほうがいいのかなと悩む。一方で変える必要などないと考える。朗読を楽しもうという人の根っこにある、金儲けにも何の役にも立たないけれど、「私はやりたい」という発露が一番尊くて、「それでいいのだ」とつい励ましたくなってしまう。だから幼児に語りかける口調が、文学作品に合わないからといって、矯正するよう言わないことにしようと心に決める。

朗読のコーチってほんとうに難しい。十人いれば十人に言うことがみんな違う。そのときのその状況に一番適切なことを言うと、次の人に正反対のことを言うこともある。生徒にとっても判断力と理解力が必要なのだ。

次が後藤町子さん、そして高坂頼子さん。岩手の出身でアクセントなどをずっと気にしながら過ぎてきたという高坂さん。アクセントなんて気にしないでと本当は言いたい。どこで朗読するかということで、アクセントを気にする度合いを決めたら、と提案をする。地元での朗読会なら地元の方言でおこなうのが一番楽しいし素敵だ。東京でおこなうなら標準語アクセントにしたほうがいいね。しかし東京弁というのもある、などと説明する。

＊　＊　＊

図書館でみんなでおこなった朗読会は大成功。それを見はからっていたかのように、今度は大賀ホールでピアノ演奏を全面におし出して行う『蜜蜂と遠雷』のあらすじ紹介役をたのまれた。

夢を見る。冒頭のところで紹介するはずの文章が頭の中でグルグル回って、先へ進めなくて目がさめた。本番は今日なのに。

雨が降っている。コインランドリーとツルヤに八月下旬の朗読館イベント案内を置きに行く。ツルヤは夏場九時のオープンだが広大な駐車場はオープン前にすでに満杯だ。みんな食料など得ようと殺気だっている。おかしな光景だ。避暑地に来たのだからもっとのんびりすればいいのに。空気がぎらぎらしている。チラシ置き場は隙間がないぐらい一杯だ。ツルヤなりのチラシ置きの規則があるはずでこんなに無秩序に置いていていいはずはないのだが、忙しくて店長も目が届かないのか、無法地帯と化している。置くところがないので、小宮山洋子さんが中心になって活動している子供食堂のチラシの上に置いた。ごめんなさい。小宮山さんのチラシは無期限用なので、八月二十七日が過ぎたら元に戻しておきますので、と心の中であやまった。

朗読館に戻り、午前中ぎりぎりまで大賀ホールでの挨拶文と格闘していると、あっと言う間に十二時だ。あわてて衣装だの化粧道具だのを袋に詰め込んで出かける。大賀ホールの比田井さんに教えてもらった渋滞回避の道を行く。細い別荘地内の道を右に左に迷路を進むと、遅れずに十二時三十分に大賀ホールに行き着いた。あとは開演を待つばかり。

十四時三十分から冒頭のところのリハーサルをするも、活舌が悪くてまともな発音ができない。このごろ活舌ノイローゼ。しかしこれは年齢とともにだれでもぶつかる壁だ。ひるんでなどいられない。大賀ホールの個室に入って開始までの三十分の時間、どうすればきちんとしゃべれるかを工夫する。

ここと、ここは、非常にゆっくり発音するときれいにいく。ここは宙をみながら、お客さんを見ないで、じぶんに集中すると発音がきれいにいく、ここは手を握り、拳に力を入れると大丈夫、という具合。音の種類によっては動かす筋肉が違っていることを再発見。ここは指先に力を入れ、ここは瞬間、腹筋に力を入れる、という具合。舌の動きも悪くなっているので、どうすればきれいな音がでるのか、顎をここは延ばしたほうがよく、この音はブレーキを踏む要領でゆっくりスピードを落として、と、一音一音、何回も調べる。試してみなければどんな声が出てくるか予測がつかない項目が増える。

ピアニストの二人、髙木竜馬くん二十四歳と、実川風くん二十七歳の演奏はすばらしかった。小林文則館長がそっと教えてくれた。「実力派なのですがまだ若いので、ギャラはそんなに高くない」のだそうだ。本当に上手、とプロに言っていいものか、すばらしい演奏だったので心からくつろいで楽しめた。お客さんが帰りに「お話がとても上手だったので、演奏の上にさらに楽しめました」と言ってくれたので、やあ、これで何回も工夫した甲斐があったとひと安心。ごまかすのではなく、年齢に沿いながらも、美しい発音、ものの言い方を開発していきたい。誰をまねするわけにもいかない。みんな一人ひとり違った道なのだもの。

曲は三曲目の「イスラメイ」に入っていた。一体どうやってピアノを鳴らしているんだ。マサルも、観客席で、少年が手を触れる前からピアノが鳴っているような錯覚に舌を巻いていた。始めの平均律クラヴィーア。これはもう、彼の、風間塵の演奏としか言いようがない。訥々と、それでいてなんとも言えぬ歓びに溢れた音。誰の演奏にも似ていない。素朴なのに官能的で、一種煽情的ですらある……譜面を感じない。モーツァルトを聴いていて、そう気が付いた。まるで、今思いついて即興で演奏しているみたいだ。あの有名なフレーズも、彼がたった今生み出したフレーズがそのまま感動を呼んでいるかのよう。そしてこのイスラメイ。ひょっとして、彼はこの曲が難曲だとは知らないのではないだろうか。

（恩田陸『蜜蜂と遠雷』より）

クラシックに詳しくないということは、『蜜蜂と遠雷』を読もうとする朗読家にとっては、困ったことが起きる。読んでいてもまるで五里霧中。声に出しはするものの、内容の把握という点ではチンプンカンプン。ごめんなさーい、それらしく読んでいるだけです。それでも、それらしく世界が立ち上がって来るから、言葉って人間が編み出した最高の魔法だと思うのです。

✼一気に最後まで聴かせる

——小池真理子『青い夜の底』『面』

軽井沢のお盆の混雑は今日からだ。まだ早い時間の村はすいている。十時に図書館に出ると、多目的室は昨日のうちに小池真理子さんを迎える準備ができている。誰もいない、しんとした部屋でひとり今日の台本を声に出して読む。

このところ多忙で『青い夜の底』はまだ二回しか目を通していない。生の舞台なのに、これではあまりに粗雑な朗読になりそうで、お昼までにさらに二回声を出して読んだ。時々多目的室にスタッフが入って来て声をかけたそうな気配を見せるが、何があっても途中でやめないほうがいいと読むのを止めない。というのも、このミステリーは内容が一筆書きのように一気に最後まで聴かせるものなので、緊張を途切れさせてはならないのだ。

十三時十五分には軽井沢書店から店員さんが二人やってきて、本屋が引っ越して来たのではないかと思うくらい小池さんの本をたくさん並べだした。いつも応援で来てくれる小宮山洋子さんは、今日も売り子として本を売ってくれるそうだ。小宮山さんの手にかかったら大抵完売するのだが、「あんまりたくさん積み上げるのもありがたみがないかも」と、今日はあきれている。

十三時三十分にドアをあけたら、お客さんが雪崩込んできた。軽井沢の渋滞もなんのその、十四時の定刻にほとんどの人が集まった。大したものだ。朗読自体は本文ノーカットでも三十分と短い。作者の小池さんとも感想が一致したが、聴く者にたくさんの感覚を呼び起こし、ぎっしりと複雑な人生が詰まっているものを、じっくり聴かせてくれたような気になるのだが、そんな朗読がたった三十分しかかからないなんて、狐につままれたような気分。もっと濃く長く感じるのだ。

朗読のあと小池さんと「死について」のトーク。死と正面から向き合い書こうとする小池さんの作家魂はすがすがしい。小池さんにかかると死と生のあわいがあやふやになり、日常の価値観がゆがんでくる。このあいだ朗読館でのインターンシップを申し出てきた大学生の由井茉彩さんも来てくれる。小池さん付きの若い編集者さんも来て、今までにない若やいだ会場になった。
終わってからは恒例の朗読館での打ち上げが待っている。小池さんを囲んで若い編集者やわれわれ夫婦がワインを飲む会。ハルニレテラスのセルクルで頼んでおいたイタ飯お惣菜を受け取りに行く必要があるが、すでに猛烈な軽井沢の渋滞になっていて、ハルニレテラスの駐車場は満杯。店に近寄れないので、私が近くのセブンイレブンに車を止めて店内で買い物をしている間に、夫にセルクルまで走って行って受け取ってもらうことにした。十八時前、小池さんと編集者さんがやってきた。話は四人で盛り上がり森の中での大騒ぎになる。二人は九時三十分には帰っていった。夏も過ぎいくことを実感する。

女が何の連絡もよこさなくなって、ひと月が過ぎようとしていた。いくら考えてもその理由がわからない。週に一度は会っていた。連日にわたって会うこともあった。（中略）あれほど互いが互いに溺れていたのだから、急に嫌われたとは、どうしても思えない。しかし、何度、女の携帯にメールを送っても、返事はこなかった。試みに電話もかけてみた。電源がきられているようで、電話はつながらなかった。
いろいろと大変なことになっている、という話は、ここしばらく、ぽつぽつと寝物語に女から聞いていた。

（小池真理子『青い夜の底』より）

＊　＊　＊

小池真理子さんを招いての文化講演会当日だと言うのに、まだ肝心の『面』の朗読台本がしっかりしていないので大変だ。朝七時三十分から朗読館のホールでリハーサルを行うことに昨日きめたのだ。ホールの隅で寝ていた飯村佳之さんを起こし、カーテンを開けて、台本に音楽をかぶせる五ヵ所ほどを念入りに検討する。ここは飯村さんの意見が大事なのだ。どんどん修正を加えて、『面』の全体像が浮かび上がってくる。朗読館二階に宿泊していた大曽根浩範さんと小澤章代さんも起きてきた。二人は今日、別のところで仕事。ショー記念礼拝堂での演奏会に参加するために泊まっている。

小池真理子『青い夜の底』
QRコードで朗読を聴くことができます。

九時過ぎに、飯村さんがショー記念礼拝堂にこちらの関係者を連れてでかけて行き、今日の図書館での私の相棒、前村晴菜さんも先に図書館で準備をするのだと言ってみんなと一緒に出て行った。

あとからかけつけて図書館多目的室で十一時ごろから通しのリハーサルを行うも、演出がいないのでどうも心もとない。音響に関して私はシロウトだしなあ。『面』の心理的緊張を盛り上げる設定で書かれているハルゼミの声の音量を「もっと大きくしたほうがいい」と提案したが、それはあとで間違っていたとわかる。リハーサルの途中、飯村さんがショー記念礼拝堂を抜け出して息子の哲大くんを連れてやって来てくれたのは天の助け。今回飯村さんは、ショー記念礼拝堂で行われるマドリガル演奏会の助っ人として来ているのだが、われわれの『面』のほうが心配だそうだ。

『面』は録音をする。多目的室に録音機器をセットし、図書館の林玄樹さんにボタンを押すことをたのんで、飯村氏は再びショー礼拝堂のほうへ戻っていった。

十三時三十分過ぎに新潮社の小林さんと田中さんもやってきて、間際になって小池真理子さんも無事到着。十四時からの朗読会は前村晴奈さんの思い付きがうまく当たり、演奏も見事だった。なにしろ『面』の内包する狂気の世界をピアニカで表現するというのは意表を突いている。

朗読は十五時で終わり、十五分休憩。十六時まで小池真理子さんのトーク。今回は「なぜいままで講演会を引き受けなかったか」という小池さんの若いころの悲惨な体験話、時間という概念の話、軽井沢の自然の話。

全部が終わって解散したあと、十八時三十分に小池さんが朗読館に到着し、われわれ三人は小池さんの後を追って入る形になった。大急ぎで夕飯の支度をして七時半、夫と息子の裕太が現れてから会はスタート。二十一時近くになって別のところで打ち上げをしていた前村、飯村父子、小澤、大曽根のみなさんが加わり騒然状態。小池さんは二十三時ごろ帰っていった。ワインも十本空いて、みんなは明け方近くまで盛り上がっていたようだ。大騒ぎの一日。

ハルゼミの声がふと止んだくらいで、何をそんなに怯えなければならないのか。なんでもない、偶然なんだ、と彼は自分に言いきかせた。きっと、セミの集団を怖がらせるような大きな鳥が、そばを飛んでいっただけなんだ。（中略）

小池真理子『面』
QRコードで朗読を聴くことができます。

だが、そうかんがえながら、彼はその時すでにもう、それを目にしていた。

歩いて来た道ではなく、これから向かおうとしていた道、まっすぐ延びた農道の先に人影が現れた。初めは遠すぎて黒い豆粒のようにしか見えなかったが、すぐにそれが、和服姿の女であることがわかった。

白い小さな日傘をさしていて、顔は見えない。着物の色はごく淡い茶色。帯も似たような色づかいのもので、少しだらしなく着物の胸元を開けて着ている。そんな細かなことまで認識できたのは、女の歩くスピードが妙に速く、どんどんこちらに近づいて来るせいだった。

だが、すべるように品よく歩いているからなのか、それとも目の錯覚なのか、ちっとも早足で歩いているようには見えない。それなのに、気がつくと、女はもう、彼の目と鼻の先まで来ていた。


（小池真理子『面』より）

✲外国語も方言も、下手でいいのだ

――エドガー・アラン・ポー　佐々木直次郎訳
『モルグ街の殺人事件』『ウィリアム・ウィルスン』

朝から『モルグ街の殺人事件』の最後の部分の収録。一時間とかからなかった。物語の冒頭、導入部はわかりにくく、読みにくい。だがそこを抜けると推理小説の手順にしたがって惹きつけられ、楽しめる構成になっている。

昔の翻訳なので今の時代のように訳がこなれていなくて、英文法に忠実な、主語がはっきりしすぎる文体。英語特有の回りくどいもったいぶった論調で、よく考えないと理解しにくいところも多い。朗読には日本語オリジナルが適していると言われるのももっともだと思う。

奇想天外な、反則とも思われる展開で聴き手も呆れるだろうなあなどと思いながら読んでいたが、案外最後はポーの世界にすっかり入り込むことができた。世界で最初に出た推理小説といわれているが、読んでいる当座は何が面白いのかわからない、妙なところがある。読み終わって振り返ると我に帰る。不思議な世界にもぐり込んでいたことから覚めるという具合。まことに小説とは不思議だ。ストーリーに辻褄のあっていないところが頻発するが、読者は案外平気なのだ。日本人の作家の小説は辻褄が合わないと失格視されるが、このころの海外小説の時に荒っぽいのに驚く。

奇怪なる殺人事件。――今暁三時ごろ、サン・ロック区の住民は、レスパネエ夫人とその娘カミイユ・レスパネエ嬢との居住する、モルグ街の一軒の家屋の四階より洩れたらしい、連続して聞える恐ろしい悲鳴のために、夢を破られた。通常の方法で入ろうとしたが不可能だったので少し遅れ、金梃(かなてこ)で門口を打ちこわして、近隣の者八、九人が二名の憲兵とともに入った。このときには叫び声はやんでいた。が一同が最初の階段を駆け上がっていたとき、はげしく争うような荒々しい声が二言三言聞きとれた。それは家の上の方から聞えたものらしかった。第二の踊場に着いたときには、この音もやんでしまい、あたりはまったく静かになった。一同は手分けして室から室へと走りまわった。四階の大きな裏側の部屋へ行くと（その扉は内側から鍵をかけてあったので、無理に押しあけたのだが）、そこに居合せた全員を驚愕させるというよりも、むしろ戦慄させる光景が現出したのである。

（エドガー・アラン・ポー　佐々木直次郎訳『モルグ街の殺人事件』より）

＊　＊　＊

きょうは中軽井沢図書館に夕方までいて、例によって多目的室が空いていたのでエドガー・アラン・ポー作『ウィリアム・ウィルスン』の下読みをしていた。中に出てくるフランス語の意味がわからないので、愛知県在住の友人、ジェニーに電話をかける。たった二行ではあるけれど、意味は大きい。あらかじめジェニーにフランス語の原文をメールで送っておいたので、その発音を教えてもらい、「ユウコサン、それでダイジョウブ」とジェニーが言うまで何回も練習する。

エドガー・アラン・ポー　佐々木直次郎訳『モルグ街の殺人事件』
QRコードで朗読を聴くことができます。

外国語はできるだけ、ネイティブを頼って練習する。日本語も方言ならそこで育った人と仲良しになっておしえてもらう。下手でもいいのだ。それがせめてもの礼儀とこのごろ思っている。

ウィリアム・ウィルスンはイギリスの古い厳めしい寄宿学校に入る。そこで彼は同姓同名、誕生日まで同じ人物に会う。

教場は建物のなかで——いっそ、世界じゅうで、と私は言いたい——いちばん大きかった。それは非常に長くて、狭く、陰気なくらい低く、上の尖ったゴシック風の窓がついていて、天井は樫であった。室の端っこの、なんとなく怖いような気のする一つの角に、八フィートか十フィートくらいの四角い囲いがあって、そのなかには、私たちの校長である尊師ブランスビイ博士の「祈禱時間中」の聖室があった。それは堅牢な造りで、がっしりした扉がついていて、「先生」の留守中にその扉をあけようものなら、私たちはまったくいっそあのpeine forte et dure（強い厳しい刑罰）で死んだほうがましだと思うくらいの目にあうのだった。（エドガー・アラン・ポー　佐々木直次郎訳『ウィリアム・ウィルスン』より）

エドガー・アラン・ポー　佐々木直次郎訳『ウィリアム・ウィルスン』
QRコードで朗読を聴くことができます。

✼読み間違い回避対策とは
――マーク・トウェイン　吉田甲子太郎訳『ハックルベリー・フィンの冒険』
L・M・モンゴメリ　村岡花子訳『赤毛のアン』

早朝、やっと空が明るんでくるころ、朗読館の居住スペースにあるリビングの窓からみえるムササビ用巣箱からムササビが顔を出しているのを楽しみにしているが、この二日ほど顔を見せない。ムササビは何軒もの住まいを持っているそうなので、どこかの別荘に今日は行っているのだろうか。

九時にFM軽井沢の二人がやってくる。『ハックルベリー・フィンの冒険』の初回だ。吉田甲子太郎さんの訳。文の冒頭に、「わたし」、「わたし」と主語が多いのだが、これは英語の一人称「I」なので、往時の訳では、かなり省いたとしてもこのくらいの頻度にはなるのだろう。

はじめのうち、わたしは、学校がひどくきらいだったが、そのうち、なんとか、しんぼうできるようになってきた。なんとしてもいやなときは、ずるやすみしたが、そのつぎの日は、むちでぶたれると、かえって、しゃんとして、げんきがでるのだ。だから、わたしは、学校にかよえばかようほど、らくになった。わたしはまた、後家さんのやり方にも、いくらかなれてきたので、そんなにつらくはなくなった。

しかし、いつも家のなかでくらし、寝床でねむることは、とてもやりきれなかったから、わたしは、さむくならないうちは、よくぬけだしていって、ときどき森の中でねた。そうすると、しずかにやすめるのだ。だから、わたしは、まえのくらしかたがいちばんすきだったが、あたらしいくらしかたも、すこしすきになってきた。

（マーク・トウェイン　吉田甲子太郎訳『ハックルベリー・フィンの冒険』「毛の玉のうらない」より）

『ハックルベリー・フィンの冒険』はたくさんの翻訳がでているが、著作権料が派生しない作品を読んでほしいというFM軽井沢の経営上の要望で、どうしても古い翻訳から用いることになる。この物語は、フォークナーとヘミングウェイが「アメリカ文学の最高峰」と褒めちぎったそうだ。

物語の展開そのものが面白いものだから、「わたし」の連発もさして気にならずどんどん収録は進んで、十一時には「軽井沢朗読散歩」三週分の録音ができた。子どもの文章表現なので、つい子どもの声で通してしまいがちだが、ここは大人の普通のラクな声で読むこと。

終わってすぐ、チワワ犬を車に乗せて東京に戻る。二時間半の運転は大変だ。いつまでこんな行ったり来たりの暮らしが続けられるだろうかと、ふと思う。

しかし、堀先生は七十歳になられてから、その頃のバブルに浮かれている日本がすっかり嫌になって、イタリア語も話せないのに単身イタリアに移住されたのだもの。堀文子という偉大な画家にいまさらながら驚嘆。

マーク・トウェイン　吉田甲子太郎訳
『ハックルベリー・フィンの冒険』「毛の玉のうらない」
QRコードで朗読を聴くことができます。

六月だというのに寒いので床暖房をつけた。九時から『ハックルベリー・フィンの冒険』の収録開始。

ハックのお父さんが口汚く罵る場面。差別用語の連発、ハイテンションのヘイトスピーチをどう収録するか。なかなか苦心がいる。この時代のワイルド極まりない無法のアメリカ。黒人が物として売られていた時代の話だ。文章だけつつくと、このようなものを後世に伝えていいものかという話になる。今の時代、文学史から抹殺しようという企みも出てきそうだが、時代を象徴する文学として伝えていく意義があると、アメリカでも考えられているそうだ。

もともと差別ありきの社会を描いた小説なのだ。マーク・トウェインは真っ向からそれを否定している。が、その「否定」の部分が単純に前面に出されていないだけ、声に出して読むのが難しい。黒人ジムの声に黒人のその当時の置かれた状況、それに対する解釈、人としての尊厳、英知、なんだって加えて読むことは可能なのだ、と自分を説得しながら読むけれど……。

＊　＊　＊

……わたしは、さっきの死人のことを話しあって、どうしてころされたのか、たしかめようとしたが、ジムはいやがった。そんな話をしたら、なにかわるいことがおこるというのだ。そのうえ幽霊になってでてきて、わたしたちをなやますかもしれない。ほうむってもらわない人は、うめてもらって、やすらかな気持ちになっている人よりも、幽霊になって歩きまわりたがるものだ、とジムはいうのだ。（中略）

「おまえは、あの死人の話をすると、不幸がくると思ってるけどさ、でも、さきおととい、山の背の頂上で、おれがへびのぬけがらを見つけて、持ってったとき、おまえなんていったい。手でへびのぬけがらをさわるくらい、おそろしい不幸をまねくことはないといったじゃないか。（中略）」

「なんだって、ぼっちゃん、なんだって。あんまりよろこびなさるでねえ。そのうちに、くるだよ。おらあのいったこと、おぼえてなさるがいい、いまにくるだ。」

（マーク・トウェイン　吉田甲子太郎訳『ハックルベリー・フィンの冒険』「10　ジム、がらがらへびにかまれる」より）

マーク・トウェイン　吉田甲子太郎訳
『ハックルベリー・フィンの冒険』「10　ジム、がらがらへびにかまれる」
QRコードで朗読を聴くことができます。

収録に時間がかかった。三時三十分には加賀乙彦先生のお宅へ行くことになっていたが遅れてしまった。スマホを見ると二回、加賀先生から着信履歴がある。

あわてて山坂を越えて車で十五分。先生のお宅へ着いて、この夏「軽井沢高原文庫」でおこなわれる「加賀乙彦展」に出す写真などを拝見する。アイスケートを楽しんでいるお人形のような坊やが写っている。セピア色が年月を感じさせるが、加賀先生はもともと目が大きく可愛い顔立ちなのだから、写真が古臭いという感じがしない。写真拝見はすぐに終わり、やはり軽井沢在住のNHKアナウンサー一年先輩の小宮山洋子さんを待つことになる。

待つあいだ、加賀先生が、今回しばらくぶりに軽井沢に来てみると家の裏手に別荘が三軒建っていたのでそれを見に行きたい、とおっしゃる。探訪にでかけることになった。

「こんにちは」と二人して大声で呼んでもだれも出てこない。人影が二、三人みえるのだが、なんだかあやしい。加賀先生はこの状況をあれこれ推理する。泥棒ではないだろうか。秘密の会合か。しばらくして、別荘販売の説明中だったとわかって笑った。推理するときの加賀先生は少年のように一生懸命だ。

小宮山さんは料理を三品持ってきてくれた。それをおいしいおいしいとつつきながらワインの会を始め、先生のお話ははずむ。

「フランスに三年間留学した。行きの船に乗っていたのが平岡篤頼さんと辻邦生と僕。三年間の留学でフランス語の論文を書いた。死刑囚と無期囚についての論文。それが日本で評価され帰国するなり博士号をもらえた。五人の選考委員のうち四人はフランス語がわからず、一人だけわかった人にあとの四人が従ったからだ。三十八歳で『フランドルの冬』を書き、賞をもらった。その賞をもらうかどうか迷って相談した大岡昇平氏に、「とりあえずもらっとけ」と言われた。五十八歳で洗礼を受けた。今年の秋、『永遠の都』がロシア語で出版になる」、などなど、話は尽きない。加賀先生は御年九十歳だが、頭が柔軟でおちゃめ。こんな九十歳もあるのかと感嘆。

＊　＊　＊

朝から『赤毛のアン』の台本と格闘する。

アンのセリフの部分だけをピンクのマーカーで囲って、読み間違うリスクを減らす作業を続ける。「なぜ読み間違ったり噛んだりしないんですか」とよく聞かれる。それは万全の読み間違い回避対策をおこなっているからだ。

まず、二つ以上の読みのある漢字にはルビを打つ。簡単極まりない漢字でもルビを打つ。たとえば「木」だって「キ」「ギ」「モク」「ボク」など、読みは沢山ある。その漢字が目にはいった瞬間にルビがあると、脳細胞がどの読み方を使用するのか判別する微小な時間を節約できる。

また、ひらがなばかりが続くようなところは、助詞や副詞、接続詞などを名詞と区別するため、マルで囲む。こうすると物語の本質から離れて、ひらがなの構成を分析する脳の無駄な働きをなくすことができる。時に形容詞をマルで囲むこともある。実際に、ひらがなばかりが続く文章を自分なりにマル囲みをすると、瞬時につっかえなくなるのだ。

人物のセリフの冒頭は、どの人物のセリフかすぐ分かるように書き込む。「アン」と、ピンクで書く。独身の二人の兄妹のうちマシューは水色で、妹マリラはオレンジ色で書く。それでなんとなくわかってくる。それでも、つっかえるときはある。そんなときは素知らぬ顔をしてスルーすること。たいていお客さんには気づかれない。しかし肝心要のところを読み間違えたら、堂々と、しかもはっきり訂正読みすること。「まちがっても、平気のヘッチャラよ」という空気がお客さんをまごつかせないのだ。

今日は夕方からのハレの舞台なのだからお風呂にも入りたいしと、雑用をこなすうちに案外時間はせまってくる。国連のガールズデーに合わせた催しで、日本工業倶楽部でおこなわれることになっている。場所は、東京駅から歩いてすぐのところ。五階の控室に予定より少々遅れていくと、小澤さんが真剣な面持ちでチェンバロと格闘していた。キーが重くなりすぎて、一つは動かないらしく、チェンバロを作った人に電話をしている。えっ、今ごろと、見ているほうが気が気でない。こんなことは滅多にないことだ。国連ウイメン日本協会の岩城淳子さんも心配そうに覗きに来る。しかし何とかなって、十七時ごろから簡単にホールでリハーサルをおこない、十八時三十分から朗読会はスタート。

二百人のお客さんを前に、きょうは不思議にいままでになくリラックスして、楽しく会を運ぶことができた。思えばここまで来るのに長い道のりだった。こんなにらくらくと緊張せずに舞台にたてる日が来るとは思わなかったもの。これから先どれくらい生きているかわからないけれど、はじめてステージが楽くてしかたがないという心境がわかった。第一部は『赤毛のアン』冒頭のところの、アンの登場場面。休憩をはさんで第二部の冒頭は二十分ほど小澤さんと私の掛け合いコーナーで、小澤さんの作曲と古い楽曲をあわせてアンの青春のエピソードを綴る。そしてつづけて、『赤毛のアン』の最後のくだりの朗読。構成も偶然の産物といえるが、よくできて楽しかった。お客さんも喜んでくれた。大成功だった。

「マシュウ、それ、だれなの?」マリラは、目の前に、きゅうくつな、みにくい服を着て、目をかがやかせ、赤い髪をおさげに編んだ、奇妙な女の子を見ると、びっくりしてさけびました。

「男の子はどこにいるんです?」

「男の子なんぞいなかったよ。いたのはこの子だけさ。」

「男の子はいなかったんですって……そんなはずはないですよ。男の子をよこしてくださいって、スペンサーの奥さんにことづけしたんですもの。まあ、なんということだろう。」

二人の話を、女の子はだまりこくって聞いていました。

生き生きした光は顔からあとかたもなく消えて、二人のほうをかわるがわる見ていましたが、きゅうに、わけがわかったらしく、だいじな手さげかばんをとり落して、ぱっと一歩とびだし、手を組みあわせてさけびました。

「あたしをほしくないんだ。男の子じゃないもんで、あたしをほしくないんだわ。やっぱりそうだったんだわ。いままで、だれもあたしをほしがった人はなかったんだもの。あんまりすばらしすぎたから、長続きはしないとは思ってたけれど、あたしをほんとに待っててくれる人なんかないってことを、知ってるはずだったんだわ。ああ、どうしたらいいんだろう。泣きだしちゃいたいわ。」

と言うなり、テーブルのそばの椅子に腰をおろし、うつぶして、はげしく泣きじゃくりました。

しばらくたってからマリラがやっとの思いで言いました。

「さあさあ、べつに泣く必要はないんだよ。」

「ありますとも。」とたんに子どもは抗議しました。

「おばさんだって泣くわ。もし、おばさんがみなし子で、これから自分の住む家になるのだと思うところへきてみたら、男の子じゃないからいらないのだとわかったら、きっと泣くことよ。ああ、こんな悲しいめにあったことないわ。」

（L・M・モンゴメリ　村岡花子訳『赤毛のアン』より）

実践編

詩を朗読する

✻詩の朗読には「間」が大切

――宮沢賢治の詩と童話

「永訣の朝」

きょうは図書館文化講座「おおたか静流（しずる）の『ぴっとんへべへべ春爛漫』」。静流さんのお昼ご飯を買うためにツルヤに開店の直前に行く。駐車場はもうすでに一杯だ。開店と同時にお客がなだれ込む。軽井沢の大型連休だ。私が買い物でグズグズしていたので、静流さんのほうが先に図書館に入って練習がはじまっていた。聴こえてくるのは、今日の演目の一つ宮沢賢治の「永訣の朝」だ。静流さんの無伴奏で歌うアカペラとリコーダー演奏に沿って、私が朗読するのだが、きのうからなかなか呼吸が合わない。楽譜が読めたらどんなにいいだろう。そうはいってもないものねだりしても始まらない。体で覚えるしかない。本番スタートの二時までに仕上げたい。

詩はそれぞれに世界を持っている。どんな短い詩でも一つの宇宙があるといってもいい。短歌だって俳句だってそうだ。朗読オンリーの場合は、詩の宇宙を声の高低、強弱、スピードを微妙にアレンジしながら、どのぐらいの間(ま)をとるかに神経を集中して読んでいく。

詩の朗読には、間がとても大切なのだ。しかし、そこに音楽や効果音、アカペラが入ると、詩がもたらす宇宙観も変わってくる。その転換をすんなり自分のものにするには、やっぱり相手との呼吸かな。呼吸が合うまでおおたか静流の世界をよく聴きよく感じて、おおたか静流の世界の核はどこにあるのかを体感する。ここは試行錯誤。

文化講座の前半は、まず私が「アメニモマケズ」の詩を読み、静流さんが即興でアカペラを付ける。音楽と朗読がかぶらないのですんなりやりやすい。それに『雪わたり』の一部と『風の又三郎』の一部。休憩時間をはさんで後半は「永訣の朝」からはじまる。練習した甲斐があって、奇跡のようにうまくいった。よくぞこの付け焼き刃の朗読に静流さん、合わせてくれました。プロの仕事に感嘆。

けふのうちに
とほくへいつてしまふわたくしのいもうとよ
みぞれがふつておもてはへんにあかるいのだ
　（あめゆじゆとてちてけんじや）
うすあかくいつそう陰惨（いんざん）な雲から
みぞれはびちよびちよふつてくる
　（あめゆじゆとてちてけんじや）
青い蓴菜（じゅんさい）のもやうのついた
これらふたつのかけた陶椀（たうわん）に
おまへがたべるあめゆきをとらうとして
わたくしはまがつたてつぽうだまのやうに
このくらいみぞれのなかに飛びだした
　（あめゆじゆとてちてけんじや）

蒼鉛(さうえん)いろの暗い雲から
みぞれはびちよびちよ沈んでくる
ああとし子
死ぬといふいまごろになつて
わたくしをいつしやうあかるくするために
こんなさつぱりした雪のひとわんを
おまへはわたくしにたのんだのだ
ありがたうわたくしのけなげないもうとよ
わたくしもまつすぐにすすんでいくから
　（あめゆじゆとてちてけんじや）
はげしいはげしい熱やあへぎのあひだから
おまへはわたくしにたのんだのだ
銀河や太陽　気圏などとよばれたせかいの
そらからおちた雪のさいごのひとわんを……
（後略）

（『春と修羅』「永訣の朝」より）

宮沢賢治「永訣の朝」
QRコードで朗読を聴くことができます。

終わって片づけをしていると大型連休の次の主役、パーカッショニスト佐藤正治さん夫妻がやってきた。静流さんとミュージシャン同士の気軽な挨拶が交わされている。音楽家の世界を垣間見る。

童話『水仙月の四日』

雪が積もっていない軽井沢の一月なんて今までになかったことだ。ひまわりの種をたくさん置いていても鳥たちの食いつきは悪い。地面が雪で隠されていないので、まだまだおいしいものが落ちているのが見えるのだろう。

昨日から宿泊していた飯村、増子組は十時には中軽井沢図書館多目的室にセッティングに出て行った。

二時からの館長朗読会は『水仙月の四日』。「雪婆(ゆきば)んご」と呼ばれる雪を降らせる鬼婆のような存在のセリフが面白い。なりふりかまわず思いっきり憎々しげに言うのがいいのだ。婆さんのセリフは読んでいるだけでストレス解消になる。

即興で飯村さんに、信州の民話「つつじの乙女」をもとに瓜生喬さんが書いた

「黒髪」の朗読に音をつけてもらうことにした。飯村さんも台本をいきなり初見でパーカッションの音づけができるだろうかと少々危惧はしたが、心配無用でした。サウンド・エフェクトに関してはプロ中のプロなんですもの。終わって車を二台連ねて三人、東京に帰る。

感動が忘れがたく、家に帰って飯村さんにメールを出す。

〈飯村さま。昨日の会での不思議な体験をずっと考えています。頭のなかでいくつかの同じ考えがぐるぐるまわっております。私はほんとうに不遜なところがあって、朗読について人に教えるとき、「十人いれば十人の読み方があっていいのです。人それぞれです」などと言うのですが、これはウソで、宮沢賢治を読むとき、読み方は一つしかないのです。それは文章のほうが読み方を規定してきて、「こう読みなさい」と指示します。私はそれに従うだけ。

たとえば「雪婆んご」が風雪をまきちらしながら野山を荒れ狂う場面。

「ひゅう、ひゅう、なまけちゃ承知しないよ。降らすんだよ、降らすんだよ。さあ、ひゅう。今日は水仙月（すゐせんづき）の四日だよ。ひゅう、ひゅう、ひゅう、ひゅうひゆう。」

〈宮沢賢治『水仙月の四日』より〉

この「ひゅう」は、私は東北地方の地吹雪を知らないけれども、きっと逆巻く風と猛烈に吹きつける雪でしょう。すごい疾走感を表現するには、自然現象に限りなく忠実に風の音を声で表現する。「ひゅう」は最初は小さく、だんだん声が大きくなり、「ひゅう」と「ひゅう」の間はだんだん短くなり、最後は「ひゅう」の「う」の音がどこまでもどこまでも続いて消えない。遠く遠くぐるぐる渦巻きながら、あまりに遠くまで行くので聞こえなくなって終わり、というのがこの場合の吹雪の音です。それを声で忠実に再現するつもりで。ベストの表現方法は一つしかないのです。とはいえ呼吸の限界に挑戦でした。〉

童話『銀河鉄道の夜』

中軽井沢図書館多目的室の観客席に小澤さんがいるのに気付いた。東京から駆けつけ、途中から聞いていたそうだ。午後四時には終わってさあ今度は小澤さんと一緒。十九時から、泉洞寺での朗読会だ。中軽井沢図書館は中山道の宿場町沓掛(くつかけ)にあって、そこから東へ次の宿場追分へ向かう。泉洞寺は追分宿の中程にある。四百年以上の歴史のある曹洞宗のお寺だ。ご住職の櫻井朝教(ちょうきょう)さんは愛嬌のある丸い眼でいつもにこにこしていらして、地元の方たちのために夏の夜は朗読や音楽の催しをおこなっている。泉洞寺でのきょうの演目は『銀河鉄道の夜』。もう何回も何十回も小澤さんと演じてきたので、内容も身に染みついているが、このごろの自分の活舌の悪さに自信を喪失しているので、それがなんとも心配になってくる。

『銀河鉄道の夜』の全編朗読は二時間三十分もかかる。十年程前はなんなく一気に、水も飲まずに読んでいたのに。しかもつっかえることもなく緊張感を持続して、あの五十代の頃の、自分の身内に備わった湧き出る泉のごときパワーはどこへ行ったんだろうと、しょんぼりしてしまう自分もいるにはいるのだが、しかしそんなことばかり考えていてもなんの足しにもならないので、訓練あるのみ。活舌の練習なんて若いときは必要がないが、年とともに必要になる。年をとるということはやることが増えて、ますます忙しくなってくるということ。

するとどこかで、ふしぎな声が、銀河ステーション、銀河ステーションと云う声がしたと思うといきなり眼の前が、ぱっと明るくなって、まるで億万の蛍烏賊の火を一ぺんに化石させて、そら中に沈めたという工合、またダイアモンド会社で、ねだんがやすくならないために、わざと穫れないふりをして、かくして置いた金剛石を、誰かがいきなりひっくりかえして、ばら撒いたという風に、眼の前がさあっと明るくなって、ジョバンニは、思わず何べんも眼を擦ってしまいました。

　気がついてみると、さっきから、ごとごとごとごと、ジョバンニの乗っている小さな列車が走りつづけていたのでした。ほんとうにジョバンニは、夜の軽便鉄道の、小さな黄いろの電燈のならんだ車室に、窓から外を見ながら座っていたのです。

（宮沢賢治『銀河鉄道の夜』「六、銀河ステーション」より）

宮沢賢治『銀河鉄道の夜』「六、銀河ステーション」
QRコードで朗読を聴くことができます。

童話『ポラーノの広場』

ＦＭ軽井沢で放送している「軽井沢朗読散歩」、次回からは宮沢賢治作『ポラーノの広場』だ。一回目の収録を朝九時からおこなう。うれしい。「軽井沢朗読散歩」がスタートしたのが二〇一三年八月十二日月曜日、最初の作品が堀辰雄作『風立ちぬ』だった。それからしばらく軽井沢ゆかりの作家の作品を取り上げ、室生犀星、芥川龍之介、立原道造と一巡して、その次にほんとうに録音したかった宮沢賢治の短編童話をたくさん取り上げ、宮沢賢治はそれきりになっていた。

それがまた宮沢賢治に戻ってきた。賢治はほかの誰でもない、世界中に同じような世界を描く人がいない特別の作家だ。しかも、賢治の自筆のメモで「少年小説」「長編」としてタイトルを揚げていた四つの作品『銀河鉄道の夜』『風の又三郎』『ポラーノの広場』『グスコーブドリの伝記』のうち『ポラーノの広場』と『風の又三郎』をこれから読む。『銀河鉄道の夜』と『グスコーブドリの伝記』はすでに録音し放送もした。これから読むこの二作品は花巻弁と東北の風土の匂いが強くて、さわったことがなかった。東北の美しいニュアンスが出せないだろうなと、ちょっと怖じ気づいていたのかもしれない。

あまり下読みの時間がなかったので心配だったが、昨日、一昨日の追い込みでなんとかなった。

が、会話のテンポが出ない。会話のおもしろさがなんといっても特徴的なのだが、テンポよく行かないと独特の味が出ない。編集の岩下雄一郎さんに若干だが間を詰めてもらうことにした。『赤ひげ診療譚』の女どものケンカのシーンほどではないけれど、放送だとちょっとずるい手も使う。山羊を見つけてくれたファゼーロに主人公がお礼を言うところ。


「この山羊はおまえんだろう。」

「そうらしいねえ。」

「ぼく出てきたらたった一疋で迷っていたんだ。」

「山羊もやっぱり犬のように一ぺんあるいた道をおぼえているのかねえ。」

「おぼえてるとも。じゃ。やるよ。」

「ああ、ほんとうにありがとう。わたしはねえ、顔も洗わないで探しに来たんだ。」

「そんなに遠くから来たの。」

「ああ、わたしは競馬場に居るからねえ。」（中略）

「ああ、じゃ、僕こっちへ行くんだから。さよなら。」

「あ、ちょっと待って。ぼくなにかあげたいんだけれどもなんにもなくてねえ。」

「いいや、ぼくなんにもいらないんだ。山羊を連れてくるのは面白かった。」

「だけれどねえ、それではわたしが気が済まないんだよ。そうだ、あなたは鎖はいらないの。」

　わたくしは時計の鎖なら、なくても済むと思いながら銀の鎖をはずしました。

「いいや。」

「磁石もついてるよ。」

　すると子どもは顔をぱっと熱（ほて）らせましたが、またあたりまえになって、

「だめだ、磁石じゃ探せないから。」とぼんやり云いました。

「磁石で探せないって？」わたしはびっくりしてたずねました。

「ああ。」子どもは何か心もちのなかにかくしていたことを見られたというように少しあわてました。

「何を探すっていうの。」

子どもはしばらくちゅうちょしていましたが、とうとう思い切ったらしく云いました。

「ポラーノの広場。」

「ポラーノの広場？　はてな、聞いたことがあるようだなあ。何だったろうねえ、ポラーノの広場。」

（宮沢賢治『ポラーノの広場』「一、遁げた山羊」より）

たとえば、四行目「おぼえているのかねえ。」と大人である主人公が言ったら、子どもは素早く重なるように「おぼえているとも。」と言うのが自然。少なくとも間髪いれず読むと自然なテンポが出る。十行目の「ああ、じゃ、僕こっちへ行くんだから。さよなら。」「あ、ちょっと待って。」もすぐに言う。これは大人がしゃべっているけれど、すぐにだ。

ケースバイケースだけれど、たいていの場合は大人である主人公はゆっくりしゃべり、受け答えもゆっくりでいい。子どもは主人公に畳みかけるように言う。

宮沢賢治『ポラーノの広場』「一、遁げた山羊」
QRコードで朗読を聴くことができます。

しかし朗読はたいてい一人の人間が読むので、そんな早業はむずかしい。どうしても二人のキャラクターのスイッチを切りかえるのに手間取ってしまう。

収録が終わっていったん図書館に出る。きょうは忙しい。夕方四時半にはふたたび朗読館に戻って、NHK女子アナ先輩の遠藤敦子さんとホールにありったけの手持ちの衣装を広げて、この秋、東京の成城学園駅前徒歩二分のアトリエ第Q藝術にて二人で朗読する『平家物語』の衣装決めをする。

思えば、二十年近くにわたって朗読会用の衣装を神戸「萩舎」の岡宗小夜美さんに作ってもらってきた。岡宗さんは一回の朗読会用衣装を作るのにまず本を読んでイメージを決め、その物語と読み手にあった衣装を作ってくれる。古い和布をアレンジして独特の世界を演出する。シンプルな衣装もあるが、たくさんの種類の布を重ねて使う場合もある。そんなときは布地そのものの制作年代をすべてそろえるのがコツだそうだ。百年前の布を使う場合、それに合わせる端布もみな百年前のものでないと安っぽくなるという。高価な和布を使って手間のかかった大胆な衣装を作ってくれるのだが、それがたまりにたまってホールいっぱいに広がる。その中からどれを選ぶか吟味する。

しかしつい先日、七月に朗読館ホールで同じ『平家物語』を二人で行ったとき、遠藤さんが身につけた薄い空色の衣装がやっぱりいいということになる。遠藤さんは八十四歳。重ねた年齢にまとううすい空色は青空に浮かぶ天女のように見えるから岡宗さんはすごい。

＊　＊　＊

『ポラーノの広場』の収録の二回目。宮沢賢治の世界は距離感や空間構成が正確だ。「ポラーノの広場」は岩手県にある理想郷。市の官吏である主人公「わたくし」はその近くの競馬場の跡地に住んでいる。競馬場を廃止して植物園にしようという計画が持ち上がっているので、担当者の「わたくし」はとりあえずそこに寝泊まりしているのだ。声に出す前にまず頭の中に位置関係を描いてみる。ぐるぐる馬が走る走路を頭に描くと、地図がどんどん描ける。その空間に人物を当てはめると人物が自然に動いていく。

そのころわたくしは、モリーオ市の博物局に勤めて居りました。十八等官でしたから役所のなかでも、ずうっと下の方でしたし俸給（ほうきゅう）もほんのわずかでしたが、受持ちが標本の採集や整理で生れ付き好きなことでしたから、わたくしは毎日ずいぶん愉快にはたらきました。殊にそのころ、モリーオ市では競馬場を植物園に拵（こしら）え直すというので、その景色のいいまわりにアカシヤを植え込んだ広い地面が、切符売場や信号所の建物のついたまま、わたくしどもの役所の方へまわって来たものですから、わたくしはすぐ宿直という名前で月賦で買った小さな蓄音器と二十枚ばかりのレコードをもって、その番小屋にひとり住むことになりました。わたくしはそこの馬を置く場所に板で小さなしきいをつけて一疋の山羊を飼いました。

（宮沢賢治『ポラーノの広場』冒頭より）

この山羊は、競馬場だった輪道の内側の野原にいつもは放たれていたけれど、そこから抜け出して、まっすぐ町のほうへ行く。町のほうから見ると競馬場と教会や森がいっしょくたに遠くに見えるくらい、そのくらいまで主人公は探しにい

宮沢賢治『ポラーノの広場』冒頭
QRコードで朗読を聴くことができます。

く。そして子どもが山羊を見つけてくれて、一緒にポラーノの広場さがしがはじまる。奇想天外な物語の後半、主人公は市の仕事で岩手県の海岸線を調査に行く。モリーオ市は盛岡市、センダード市は仙台市でしょう。

あのイーハトーヴォのすきとおった風、夏でも底に冷たさをもつ青いそら、うつくしい森で飾られたモリーオ市、郊外のぎらぎらひかる草の波。

（同）

ほんとうに詩を読んでいるみたいに気持ちよく読める。いや、「読んでいるみたい」ではなくて詩だと思って読むと楽しい。

童話『風の又三郎』

コロナ禍の真っ只中をくぐっている身には、もはやわずか一年半ほど前の日記が別世界の価値観であると感じられる。こんなことが書いてある。

「早朝、新幹線で東京から軽井沢に向かう。荻窪から乗った中央線はぎゅうぎゅう詰めでショルダーバッグの行方がわからなくなるほど。一年ほど前、やはり早朝の移動のとき片方の腕がどこかにいったように感じて、満員電車には二度と乗るまいと思ったが、また遭遇してしまった。」

こんなにウイルスのことを考えなくてもよかったのだ。ある意味のんびりしていたとも言える。

ともかくヘトヘトになりながら朗読館に入って、『風の又三郎』の下読みを繰り返す。どうも東京の気分を持ち込んでいるのか、集中が続かない。もしかして二十年も続けている朗読という仕事に飽きたのかなと、自分で自分を疑ったりもした。

「飽きる」のは怖い。自分がこれと決めたことに「飽きる」ということはあることだ。飽きても自分にはこれしかないと思い定めて、なかば諦めて進むのは本意ではない。飽きたのなら新しい何かをさがす。そんなことを半日ぐらいずっと自問していたけれど、収録が終わって、これは飽きたのではなく、これまで他人の批判にビクビクしていた自分という存在を飛び越えてしまったのだと気付いた。朗読のなかで自在に遊べる、その大胆さを獲得した余裕なのだと発見する。自由になっての無重力状態を無気力と混同しているような気分になっていたのだと自覚した。

どっどど　どどうど　どどうど　どどう
青いくるみも吹きとばせ
すっぱいかりんも吹きとばせ
どっどど　どどうど　どどうど　どどう

（宮沢賢治『風の又三郎』冒頭より）

そうそう、こんなふうに何もかも蹴散らして。これを読んでみたかったのだ。野山を駆けめぐるやんちゃ坊主、自分の中の自然児全開で思いっきりわあっと叫ぶのだ。なんと気持ちのいいこと。

『風の又三郎』は方言で書かれている。東北弁を美しく読むことは自分にはできないから生涯読まないとあれほど避けてきたのに、心底楽しくあたれば、多少おかしな方言でもいいではないかと、方言のしばりから解き放たれたのも、そんな

宮沢賢治『風の又三郎』冒頭
QRコードで朗読を聴くことができます。

ことに気付いてからだ。

「だれだ、時間にならないに教室へはいってるのは。」一郎は窓へはいのぼって教室の中へ顔をつき出して言いました。

「お天気のいい時教室さはいってるづど先生にうんとしからえるぞ。」窓の下の耕助が言いました。

「しからえでもおら知らないよ。」嘉助が言いました。

「早ぐ出はって来、出はって来。」一郎が言いました。

（中略）

「やっぱりあいつは風の又三郎だったな。」

「二百十日で来たのだな。」

「靴はいでだたぞ。」

「服も着でだたぞ。」

「髪赤くておかしやづだったな。」

「ありゃありゃ、又三郎おれの机の上さ石かけ乗せでったぞ。」二年生の子が言いました。見るとその子の机の上にはきたない石かけが乗っていたのです。

（宮沢賢治『風の又三郎』冒頭より）

✼あるがまま、自然体で朗読する
――谷川俊太郎の詩

『詩人の墓』

きょうは朗読館で谷川俊太郎さんの会。昨日東京や長野から集まってきた朗読館の仲間たちは朝九時ごろまで寝ていた。

嵐の前の静けさといったところだ。お昼ごろに俊太郎さんと息子の賢作さんがイラストレーター広瀬弦さんの車にのってやってきた。広瀬弦さんは俊太郎さんの奥さんだった絵本作家佐野洋子さんの息子さん。

朗読館には控室がないものだから、リビング兼スタッフルームとして機能している縦に長い部屋をパーティションで仕切って、谷川さんたちの臨時の控室を作ろうと小さな釘をコンコン打っていると、横で「そんなのなくていいよ、仕切らなくていい、ぼくはちっとも構わない」と俊太郎さん。それでも「え、あったほうがいいでしょう?」とセッティングをつづけていると、「あ、そうか、僕がいると、みんなのほうで僕が見えると落ち着かないのか」と詩人は言う。詩人のやさしさ。そうだ、俊太郎さんはそういう人だったと、俊太郎さんの自然体の気遣いを思い出す。

サックス奏者の坂田明さんが到着する。坂田さんはどういうわけか、超赤字路線の朗読館をいつも応援してくれる。俊太郎さんと同じ。臨時にできた控室の中で坂田さんも加わって話がはずんでいる。やっぱり仕切り、つくっておいてよかった。

二時の開演が近づくにつれて、大勢のお客さんが集まりはじめた。加賀乙彦先生がいらしたので、お客さんだけれど臨時控室に案内した。以前「ぼく、谷川さんにあったことないの。会いたいな」とおっしゃっていたから。

今日は先日発売になった詩人の正津勉さんが編集した谷川俊太郎さんの新詩集『空を読み　雲を歌い』から何篇か読むのだろうと練習を積んでかまえていた。すると俊太郎さんが「これ読んで」と差し出したのが『詩人の墓』。

「読んだことある？」

「ないです」

「ふうん、これみんな面白がってくれるんだよ。君にはストーリー性のあるものがいいとおもってね」

詩人にそういわれて、へえー、そうかと思う。ナンセンスのものよりストーリー性のあるもののか。褒められたのかな？　いや、ナンセンスのものは難しいからなぁ……落語家や喜劇役者に分がある。

ある所にひとりの若い男がいた
詩を書いて暮らしていた
誰かが結婚するとお祝いの詩を書き
誰かが死ぬと墓に刻む詩を書いた

（中略）

男の詩はみんなに気にいられた
声をあげて泣かずにいられない詩
お腹の皮がよじれるほど笑ってしまう詩
思わずじっと考えこんでしまうような詩

——そこへ詩人にあこがれる娘がやってきて詩人と恋に落ち結婚する。しかし、しかしなのだ。天才詩人は娘の住む普通の世界の普通の言葉を使えない。娘は少しずつへんだと感じはじめる。娘との仲は少しずつすき間ができてくる。

ある夕暮れ　娘はわけもなく悲しくなって
男にすがっておんおん泣いた
その場で男は涙をたたえる詩を書いた
娘はそれを破り捨てた

男は悲しそうな顔をした
その顔を見ていっそう烈しく泣きながら娘は叫んだ
「何か言って詩じゃないことを
なんでもいいから私に言って！」

男は黙ってうつむいていた
「言うことは何もないのね
あなたって人はからっぽなのよ
なにもかもあなたを通りすぎて行くだけ」

（中略）

娘は男をこぶしでたたいた
何度も何度も力いっぱい
すると男のからだが透き通ってきた

心臓も脳も腸も空気のように見えなくなった

（中略）

——そこに倒れかかった墓が見えた。

その墓のかたわらに
気がつくとひとりぼっちで娘は立っていた
昔ながらの青空がひろがっていた
墓には言葉はなにひとつ刻まれていなかった

（谷川俊太郎『詩人の墓』より）

二時開演。進行はすべて賢作さんに任せてある。私は気がラクで、言われた通りに出たり引っ込んだりしていると、「詩人の墓」を読むように指示がでる。俊太郎さんは椅子に座っている。すこし後ろに、といっても十センチぐらい後ろに立って読む私からは表情は見えない。読んでいる間詩人は微動だにしないのだ。すこし頭を振るとか、頷くとか、呼吸をするとかなにか動いてほしくなって、わざとちょっと停まって長くポーズを置いて待ってみるが、写真のように動かない。じっとどこかの世界に集中していらっしゃるのかなと思う。詩人の中に今なにが巡っているのだろう。自画像といえるこの詩のことばが谷川さんの頭の中にどんな映像を描き出しているのだろう。終演の時間になった。終わる直前、信州の蕎麦処、職人館の北沢正和さんがやってきて、創作料理をあっという間に広げる。北沢さんは昔から谷川さんの為になにかあるとかけつけて料理をするのが、生きがいでもあるみたい。四時五十分、ホールのセッティングが終わって乾杯。ふつうならまず私も一口と行くところだが、珍しいことに乾杯の時もアルコールは飲まずに雑用に勤めた。これには訳があって広瀬弦さんが谷川父子を頼むと、私に耳打ちして東京に帰ってしまったので、谷川父子の運転手を勤めるつもりだったのだ。しかし、軽井沢在住の花井夫妻が新幹線の駅まで谷川父子を送ってくれるということになって、肩の荷がおりた感じもする。運転は好きだけれど国宝みたいな人を乗せるのはヒヤヒヤものですもの。

谷川俊太郎『詩人の墓』
QRコードで朗読を聴くことができます。

食事会は六時に解散。八十九歳の加賀先生も浅間総合病院の外科部長・池田正視先生が送って行ってくれた。

夜、一団が捌けたあと、朗読館に残った坂田さんを囲んでミジンコ幻灯会が始まり盛り上がった。飯村さん、増子さん、大森さん、二川さん、小澤さん、みんなでリビングにゴロゴロ転がって、自分も人間ではない別の生き物になったような気分になってミジンコ博士の話に耳をかたむけた。

「あなた」

東京で朝目覚めて、まだ水戸に車で行くか電車で行くか迷っている。車だと一時間三十五分。電車だと二時間十五分かかる。しかしあの狭い首都高速を走ることを想像するとなんだか気持ちが竦む。だけれど本を持っていかねばならない。それもたくさん。ほとんど谷川俊太郎さんの詩集だ。きょうは谷川さんの詩を読むのだ。どれを読むかまだ決まっていない。

谷川さんはいつも「きみの好きなの読んで」とおっしゃる。どれも全てが面白くて決められない。これも持っていこう、あれも持っていこう。いつまでも声に出して読んでいて、目移りしすぎて終わりがない。それぞれの詩がみんな、空気感が違っていて、なぜこんなに世界はたくさんあるのだろうと思いながらあまりの多さにアプアプする。水戸で与えられた谷川さんとのステージの時間はわずか一時間なのだ。さてさてどこまであの偉大な詩人に迫れるかな。たくさん詩を読ませてもらえるかな。谷川さんはご自分で読むのも大好きなので、あの手この手で「読ませてもらう」のだ。どれにしようと逡巡していた気持ちも、谷川さんに会えると思うと、身内にエネルギーが沸いた。エネルギーが車で行くという決断に変換された。本を沢山積む。

十二時近くに水戸プラザホテルに着いた。第二十四回「茨城保育芸術協会の集い」。谷川さんと一緒の控室に入り、企画者の手塚早苗さんから、さらに追加の詩八篇を渡される。谷川さんから「さっき」送ってきたものだそうだ。急遽目を通す。単語を丸で囲んだり、点を打ったり、読みやすいように自分なりの台本を作っていく。

午後二時過ぎになって谷川さんが付き人も秘書も連れず一人で現れた。谷川さんはひとりでたいていどこへでも行く。八十六歳という年齢（とし）になって、このごろは遠くに出かけることをなるべく減らして、日帰りが容易なところに行くよう自分自身でアレンジしているとおっしゃるけれど。

挨拶をすると、もう旧知の人のように笑顔が返ってくる。そうだ、旧知なんだ。やっぱり不思議な人だ。三年前に軽井沢の駅ではじめてお会いしたとき、ずいぶんぎこちなく挨拶をしたことを思い出し、改めて三年という年月を振り返る。一年に一度か二度お会いしてきただけなのに、あたりまえの空気になってきて緊張もない。二人一緒の控室に入って椅子に坐って、さて、そばにいる手塚早苗さんの顔を見ると、心配で爆発しそうだ。谷川さんがぎりぎりになってあらわれたのでリハーサルが出来ない。こんなゲストはいままでいなかったと、私の耳元でちいさく囁く。

手塚さんの心配は極限に達している。せめて、今日の会の最初の出し物である絵本『かないくん』の映写に合わせて、朗読をするところだけでも合わせたほうがいいに決まっている。私が読むことに決まっていた『かないくん』だが、谷川さんが突然「あ、それ僕が読むよ」とおっしゃる。「今の今、読むのは谷川さんと決まったのだから、皆さんをお待たせしてもいいから、一回リハーサルをしてみたらいかがですか」と提案すると、手塚さんの顔がパァっと明るくなった。
十五時十五分からの開場時間を十五時二十分に五分間だけ伸ばして、やっとリハーサルが終わった。これでもう大丈夫、『かないくん』のあとは、フリートークと詩の朗読だもの。詩の朗読のところは最初にわたしが谷川さんの詩を二十分ほど読んで、そのあと谷川さんがご自分で二十分ほど読む、とそれだけを楽屋で決めた。あとは全くのアドリブの舞台だ。

十五時五十分にステージに呼ばれた。八十六歳にして踏み台を上がる姿が若々しいことを指摘すると、谷川さんは嬉しいのかどんどんしゃべり始めた。いつもの谷川さんとは全然違う。こんなに喋る人だったかしら。寡黙な人だというイメージがある。三年前、谷川さんと正津さんと一緒だった軽井沢の図書館での最初の舞台を思い出した。次の年は覚和歌子さんと谷川さん二人にお願いし、三年目は息子さんの谷川賢作さんと一緒にお願いした。三年連続で見ているのだが、谷川さんはいつも控えめといっていい印象だった。それが何だかきょうは楽しそうによくご自分のこともおしゃべりし、こちらに質問を投げかけてくる。

最初は二十分を私が読むのだとスタートすると、ひとつ読み終わったところで「じゃあ、僕が読もう」と言って、すぐ谷川さんが読む。あれえ、話がちがう。わたしも沢山読ませてもらいたいのだ。すかさず「次は読ませてください」と言うと、交互に読むスタイルになった。そのあいだにトークが入る。『あなた』の詩は半分まで私が読み、後半は台本を渡して谷川さんが読む。楽しいのはいいけれど、これでいいのかなあ、キツネにつままれたような気がする。

あなたは
だれ？
わたしではない
あなた
あのひとでもない
あなた
もうひとりのひと
わたしとおなじような

みみをもち
わたしとはちがうおとを
きくひと
わたしとそっくりの
じゅっぽんのゆびをもち
わたしにはつかめないものを
つかもうとするひと
あなた

あなたは
たっている
まなつのひをあびて
うみにむかって
わたしに
せをむけて

あなたはみつめる
とおい
すいへいせんを
あなたの
こころには
わたしのみたこともないまちの
わたしのあるいたことのない
こみちがつうじている
そのこみちに
いま
しずかにゆきがふりつもり
わたしのあったことのないひとが
こっちへはしってくる
そのひとが
あなたにむかって

なんとさけんだのか
わたしはけっして
けっしてしることはない
（後略）

（谷川俊太郎　詩集『みみをすます』「あなた」より）


いや、打ち合わせた通りにやるのだと先入観を持つことが良くなかったのだ。やっぱり詩人は詩を自由に読んでこそ、詩の世界に遊んでこそ世界が光る。

そう言えばさっき『かないくん』のリハーサルが終わって二人して控室に戻って本番を待っている休憩のあいだに谷川さんと共有した時間がよかったのかもしれない。

ひとつの部屋に二人でいて、何を話してよいのやら、沈黙が好きな詩人に沈黙してもらうのはいいけれど、わたしはこの沈黙は苦手だ。これからハレの舞台なのだし。気持ちを上昇気流に乗せたい。そこで一計を案じた。

「谷川さん、わたしは谷川さんの詩を沢山読みたくてそれを楽しみにして来たんです。でも私に与えられた時間はそんなに多くはないので、ここで、この待ち時間、思いっきり詩を読ませてもらいますね」と言って『あなた』を読んだ。懸命に大きな声で。

「おいおい、そんなに女っぽく〝あなた〟と言うんじゃないんだよ。これはね子供なんだ。違う違う。〝あなた〟はもっと乾いた感じでいいんだよ。そうそうそれだね」

と谷川さんは俳優さんに演技をつける監督のようになってきた。

「わたしにはどうも、読んでいるうちに、小学生とは思えなくなって、この言葉に引きずられて女の顔が出てくるんです。出るなと言っても出てくる。谷川さん、これ、もし本番で読むんだったら「女」が出てきそうになったら、ぴしゃっと言ってくださいね。「ストップ」とね。そこで読み手を変わってもらっていいですか」

と聞くと、「ああいいよ」と楽しそうだ。あのわずか二十分ほどの大声のやりとりがあったからよかったのかもしれない。

その他の詩も手ごわいのだ。なにしろ初見の詩もある。しかし、もう谷川さんご本人を前にして、つっかえないで読もうなど、そんなことどうでもよくなってきた。あるがまま。内容がよく伝わるように中身に集中して読む。一番シンプルな朗読の基礎の基礎だ。谷川さんに遠慮なく今の心境を説明すると、「それでいいんだよ。僕も自分の詩を読む時そうする」とおっしゃる。

舞台が終わって、谷川さんの講演を以前に聴いたことがあるという人が駆け寄ってきた。「谷川さんって、もっとしゃべらない詩人かと思っていたんですよ。楽しい時間でした」

谷川さんは四時五十分にステージが終わるとすぐ帰ることになっていて、タクシーを待つ間、喫茶店でおしゃべりをした。

「君は運転して帰るんだろう。じゃ飲めないね。僕はビールを飲む」と、詩人は珍しくこちらから勧めもしないビールを注文して、「ああ、おいしい」と一息ついた。

そこからの短い時間がまた楽しかったのだ。詩を朗読することについてのやりとり。

「谷川さん、詩ってひとつひとつみんな違いますでしょう。同じ作家が書いても全部違う。そのひとつひとつが、こう読みなさいと既定してくるから面白い。ほ

んとうに最初の一字、二字で決まるんです。詩が規定してくる音が」などと話すと、

「それは音楽、楽譜の最初の声を出すのと同じだね」とおっしゃる。

「そうそう、文字は楽譜なんです。その詩が「こう読んで」と言ってくる音が最初の声に乗って出るといいんですけど。若いころは得意だったんです。どんな音でもすぐにその詩に注文されたままにあやつられて、自由自在だったんですけど、この年になるとなかなか大変で」というと、

「そんなふうに考えないほうがいいよ。その年齢のよさがあるんだから」とおっしゃって、これは慰めてくれるのか。

「はい、いまの谷川さんの言葉を紙に書いてトイレにはっておきます」などと冗談をいいながらお送りした。

きょう最初にお会いした時、「今年の夏も軽井沢朗読館で朗読会をお願いしますね」と言うと、言下に「いやだよ」と返ってきたのが、別れ際タクシーに乗り込む時、「じゃ、こんどは軽井沢で」と手を振ってくれた。ほんとにもう、小学生みたいだ。

実践編

エッセイを朗読する

❇読みやすい、次へ進みやすい朗読
――夏目漱石『硝子戸の中』

友人の編集者大森美知子さんが抱えていた仕事がコロナのせいですべて中止になったとかで、朗読館に身を寄せている。こんなときにしか休めないのでしばらく森の住人になるそうだ。九時から夏目漱石作『硝子戸の中』の収録初回だ。

硝子戸(ガラスど)の中(うち)から外を見渡すと、霜除(しもよ)けをした芭蕉(ばしょう)だの、赤い実(み)の結(な)った梅もどきの枝だの、無遠慮に直立した電信柱だのがすぐ眼に着くが、その他にこれと云って数え立てる程のものは殆んど視線に入って来(こ)ない。書斎にいる私の眼界は極(きわ)めて単調でそうして又極めて狭いのである。

　その上私は去年の暮から風邪（かぜ）を引いて殆んど表へ出ずに、毎日この硝子戸の中にばかり坐（すわ）っているので、世間の様子はちっとも分らない。心持が悪いから読書もあまりしない。私はただ坐ったり寝たりしてその日その日を送っているだけである。

　しかし私の頭は時々動く。気分も多少は変る。いくら狭い世界の中でも狭いなりに事件が起って来る。それから小さい私と広い世の中とを隔離しているこの硝子戸の中へ、時々人が入って来（く）る。それがまた私に取っては思いがけない人で、私の思いがけない事を云ったり為（し）たりする。私は興味に充（み）ちた眼をもってそれらの人を迎えたり送ったりした事さえある。

　私はそんなものを少し書きつづけて見ようかと思う。（後略）

（夏目漱石『硝子戸の中』「一」、冒頭より）

　終わって大森さんを朗読館に残して私だけ図書館に出る。コロナ禍で図書館は予期せぬ閉館になって、スタッフがいままで出来なかった二階の書架と閲覧コーナーの大整理をおこなっている。中軽井沢図書館がオープンして八年目に入った。

夏目漱石『硝子戸の中』「一」
QRコードで朗読を聴くことができます。

これまで来館者が多すぎてお客の対応で精一杯、それがいま手を付けられなかったところに分け入っている。

四時から五時まで、職員の朗読研修をおこなう。せっかく館長が朗読家なのだからと、去年の十一月から毎月おこなうことになって半年になろうとしている。きょうの受講者は林玄樹さん、鷹野沙亜耶さん、土屋智子さん、そして市村清江さん。それぞれの朗読がなかなか個性的でおもしろい。

スタッフたちは朗読の勉強をしていたわけではない、したかったわけでもない、全くの素人といえる。真っ白なキャンバスに朗読世界がどう浸透していくか。

朗読の指導は受講生の今の状態、瞬間をとらえながら見ていく。一人ひとり別の指導をしなければならないし、集中力も四人見るとなると、それなりに長時間持続しなければならず、なかなか大変。しかしこれはとてもやりがいがある。朗読という分野で図書館スタッフが発信力を持つことが、とても素敵なことのように思える。どんな人でも素敵な朗読者になれるのだという私の信条の証明にしたい。

＊　＊　＊

軽井沢朗読館にて。朗読館にはテレビの地上波が届かない。よほど山の奥の難視聴地域だ。しなの鉄道、中軽井沢駅から車で七、八分とは思えない。衛星放送なら見ることができる。朝からBSニュースでコロナの影響が世界中をおおっている映像を見続けている。世界中が惨憺たる有りさま。九時から『硝子戸の中』の収録開始。

夏目漱石の文章は読みやすい。いま声にしているところに次へ進む道標が隠れていて、読み手の無意識に作用して来るので進みやすい。

漱石に文章作法を教えてほしいとやってきた女性に、その心構えを漱石が説くところがある。しかも漱石の口調は、とっくに亡くなったわたしの父親をはじめオヤジ系の先祖に説教されているようで、どこか懐かしい。

「これは社交ではありません。御互に体裁（ていさい）の好い事ばかり云い合っていては、いつまで経（た）ったって、啓発されるはずも、利益を受ける訳もないのです。あなたは思い切って正直にならなければ駄目ですよ。自分さえ充分に開放して見せれば、今あなたがどこに立ってどっちを向いているかという実際が、私によく見えて来るのです。そうした時、私は始めてあなたを指導する資格を、あなたから与えられたものと自覚しても宜しいのです。だから私が何か云ったら、腹に答えるべき或物を持っている以上、けっして黙っていてはいけません。こんな事を云ったら笑われはしまいか、恥を掻きはしまいか、または失礼だといって怒られはしまいかなどと遠慮して、相手に自分という正体を黒く塗り潰した所ばかり示す工夫をするならば、私がいくらあなたに利益を与えようと焦慮ても、私の射る矢はことごとく空矢になってしまうだけです。

「これは私のあなたに対する注文ですが、その代り私の方でもこの私というものを隠しは致しません。ありのままを曝け出すよりほかに、あなたを教える途はないのです。だから私の考えのどこかに隙があって、その隙をもしあなたから見破られたら、私はあなたに私の弱点を握られたという意味で敗北の結果に陥るのです。教を受ける人だけが自分を開放する義務をもっていると思うのは間違っています。教える人も己れをあなたの前に打ち明けるのです。双方とも社交を離れて勘破（かんぱ）し合うのです。

「そういう訳で私はこれからあなたの書いたものを拝見する時に、ずいぶん手ひどい事を思い切って云うかも知れませんが、しかし怒ってはいけません。あなたの感情を害するためにいうのではないのですから。その代りあなたの方でも腑（ふ）に落ちない所があったらどこまでも切り込んでいらっしゃい。あなたが私の主意を了解している以上、私はけっして怒るはずはありませんから。

「要するにこれはただ現状維持を目的として、上滑（うわすべ）りな円滑を主位に置く社交とは全く別物なのです。解りましたか」

女は解ったと云って帰って行った。

（夏目漱石『硝子戸の中』「十二」より）

声にして読んでいると漱石になった気分になる。漱石は親切だし、あたりまえでわかりやすいし、江戸っ子なのだ。こっちも読みながらどんどん調子に乗る。羽目を外しそうになる。それも楽しい。つっかえることもなく一時間半で終わる。いったん図書館に顔を出すと原富士子新館長が坐っている。スタッフの一人が

夏目漱石『硝子戸の中』「十一」
QRコードで朗読を聴くことができます。

私のことを「館長」と呼んだりして、「あ、今日から違うんだ」とあわてている。七年も館長だったのだから、当分私もまちがえそう。中軽井沢図書館ができて八年目の四月、人事異動で私は顧問兼名誉館長という呼称になった。

十四時三十八分発の「しなの鉄道」。新幹線に乗りつぎ大宮で降りてJRをたどって荻窪まで。あとはバスで帰って来た。乗客はみんなマスクをしている。咳などできない雰囲気。電車は窓を開けている。

＊　＊　＊

漱石のところにいろいろな人が訪ねてくる。美しい女の人もいる。その人は自分の身の上話をしたあと、「先生がこれを小説にする場合、その女は死んだ方がいいか」と尋ねる。その続きのエッセイ。陰鬱でこころが晴れ晴れとしない。エッセイなのだから作者の心の動きがそのまま書かれていると考えて読む。そうすると、その暗さに引きずられて、重々しく暗く読んでしまうが、それはだいたいうまくいかない。

朗読館のなかの録音室には副調整室との間に防音ドアがひとつある。その横に二重ガラスの小窓があって、ここからディレクター氏が時々顔をのぞかせる。〇Kという表情が見て取れるときは立ち止まらずどんどん進む。

ところが時々、副調整室の椅子がガタンと揺れる音がして、ディレクター氏がドアをおもむろに開けて顔をのぞかせる。こういうときはやり直しなのだ。読み間違いでドアがガタンと開く場合もよくあるが、読んでいる中に気持ちがのめり込んでいる時が多い。

じぶんでは高揚感と、ある調子でうまく読んでいるつもりになっている場合もある。また暗い文章のトーンに引きずられてどんどん穴を掘って地の底へ下りて行っているような時もある。自分では気付かないことがままある。朗読の録音にはだから、第三者の聴き手の平衡感覚のある耳が必要だ。

ドアが開いて、「もう一度いきましょうか」と言われる時は、たいていこの闇の中に迷い込んでじぶんではそれでいいと思っている時だ。ハッと気付いて目が覚めた思いで元の位置にもどる。ニュートラルに透明に読む。ニュアンスとしての湿度はカラリと低く、射している光は秋空の透き通った陽光。

不愉快に充ちた人生をとぼとぼ辿りつつある私は、自分のいつか一度到着しなければならない死という境地について常に考えている。そうしてその死というものを生よりは楽なものだとばかり信じている。ある時はそれを人間として達し得る最上至高の状態だと思う事もある。

「死は生よりも尊とい」

こういう言葉が近頃では絶えず私の胸を往来するようになった。

しかし現在の私は今まのあたりに生きている。私の父母、私の祖父母、私の曾祖父母、それから順次に溯ぼって、百年、二百年、乃至千年万年の間に馴致された習慣を、私一代で解脱する事ができないので、私は依然としてこの生に執着しているのである。

だから私の他に与える助言はどうしてもこの生の許す範囲内においてしなければすまないように思う。どういう風に生きて行くかという狭い区域のなかでばかり、私は人類の一人として他の人類の一人に向かわなければならないと思う。すでに生の中に活動する自分を認め、またその生の中に呼吸する他人を認める以上は、互いの根本義はいかに苦しくてもいかに醜くてもこの生の上に置かれたものと解釈するのが当り前であるから。

「もし生きているのが苦痛なら死んだら好いでしょう」

　こうした言葉は、どんなに情なく世を観ずる人の口からも聞き得ないだろう。医者などは安らかな眠りに赴むこうとする病人に、わざと注射の針を立てて、患者の苦痛を一刻でも延ばす工夫を凝らしている。こんな拷問に近い所作が、人間の徳義として許されているのを見ても、いかに根強く我々が生の一字に執着しているかが解る。私はついにその人に死をすすめる事ができなかった。

（中略）

　かくして常に生よりも死を尊いと信じている私の希望と助言は、ついにこの不愉快に充ちた生というものを超越する事ができなかった。しかも私にはそれが実行上における自分を、凡庸な自然主義者として証拠立てたように見えてならなかった。私は今でも半信半疑の目でじっと自分の心を眺めている。

（夏目漱石『硝子戸の中』「八」より）

夏目漱石『硝子戸の中』「八」
QRコードで朗読を聴くことができます。

✽声に出すと世界が広がる朗読の醍醐味

——島崎藤村『千曲川のスケッチ』を再び

朗読館のリビングの窓を開けると昨日の朝とは違う。森が明るい。黄葉が一気に進んだ。ああ、秋だなと思う。

さあ、きょうの午前中は島崎藤村の『千曲川のスケッチ』の収録だと足をうんと伸ばして起きた。自然と気合が入る。とは言ってもこの時点まで相当タカをくくって怠けていた。

もう何年前になるか、まだアナウンサーの現役だったころ、軽井沢の隣町、御代田の図書館に招かれて朗読会をおこなったことがある。そのとき読んだ『千曲川のスケッチ』の台本がとってある。それをそのまま使えばいい。苦もなく読めるだろうと油断していた。

まったく油断だったのだ。前回終了した『つゆのあとさき』は永井荷風の代表作のひとつと知って、果たして自分に読みこなせるかどうか不安だった。永井荷風ははじめて朗読する作家だし、ずいぶん入念に用心深く練習をした。けれど『千曲川のスケッチ』はすでに読んだことがあったので、練習は日々の雑用にかまけて後回し、後回しにしていた。

きょう収録という段になって早めに起き、朝五時半から下読みにとりかかり、三時間もあれば九時の収録開始には間に合うだろうと自分の力を過信していて、驚いた。こんなに難しかったのか。以前に読んだとき、私は何を読んだのだろうと愕然とする。きっと若いときは、筋力もあり、脳が感知した小説世界が身体の筋肉に直接伝達されて、苦もなく声として表現できていたのだ。それを、読みこなせたと自分で勘違いしていたのだろう。きっとその時はすらすら読めていたのだろう。すらすら読むことが良い朗読と、その時の自分は大きな勘違いをしていたのかもしれない。

いま、口を動かしながら、声を出しながら、これは日本の口語と文語体の融和をギリギリまで試してみた、とてつもない試みなのだと思い知らされた。

「朗読は自然体で、ふだんのおしゃべりが基本です」などと、常は生徒に向かって言っているのに、このエッセイ（写生文）は日常のおしゃべり感覚とは別物。ふだんのおしゃべりは無意識のうちに無理なくエネルギーを使っている省エネ話法と言える。ところがこちらを声に出すときは詩を読むように、単語の響きが鮮やかでなければならない。文字をすらすら、ただ音声変換しながら読んだのでは伝わらない。

朗読は省エネを目指して、書き言葉をふだんのおしゃべりにできるだけ近づけるとよい、とは言っていても、本来そんなことは無理なのだと思い知るのがこの文章だ。だから違う体力がいる。鋭敏な集中力がいる。たいへんなことになった。時間はどんどん過ぎて収録時間まであと二時間しかない。と、必死になって藤村先生と向き合う。

若い鷹は私の頭の上に舞っていた。私はある草の生えた場所を選んで、土のにおいなどを嗅ぎながら、そこに寝そべった。水蒸気を含んだ風が吹いて来ると、麦の穂と穂が擦(す)れ合って、私語(ささや)くような音をさせる。その間には、畠に出て「サク」を切っている百姓の鍬(くわ)の音もする……耳を澄ますと、谷底の方へ落ちて行く細い水の響も伝わって来る。その響の中に、私は流れる砂を想像してみた。しばらく私はその音を聞いていた。しかし、私は野鼠のように、独(ひと)りでそう長く草の中には居られない。乳色に曇りながら光る空などは、私の心を疲れさせた。自然は、私に取っては、どうしても長く熟視(みつ)めていられないようなものだ……どうかすると逃げて帰りたく成るようなものだ。

で、復(ま)た私は起き上った。微温(なまぬる)い風が麦畠を渡って来ると、私の髪の毛は額へ掩(おお)い冠(かぶ)さるように成った。復た帽子を冠って、歩き廻った。

(島崎藤村『千曲川のスケッチ』「その二　麦畠」より)

コンをつめて練習を続けていると、ときに集中力が途絶えて続かなくなる。ああ、疲れた。千曲川の情景から少しはなれて、日常に戻るのはいい気分転換だ。台所に立って国有林の冷たい湧き水から引いてくる蛇口の水に触れよう。洗い物をしよう。

すると、キッチンの大きな窓枠の上部に大きな蛾、クスサンが二匹、交尾をしながら張りついていたのにぎょっとした。怖いもの見たさで十センチの距離まで目を近づける。なかなか不気味だ。生きている気配がまったくない。広げた大きな両側の羽にそれぞれ目玉の模様がある。このあいだ森林官の木内さんが朗読館の周りの森が成長して木が混んできたから、クリの木を七本伐ってあげようと言ってきた。

栗の葉はクスサンの主食だ。クスサンは気味悪いが生き物であるのだから、餌がなくなったらかわいそうだと木内さんに言うと、七本伐ったとしても山には無数に栗の木があるから、幼虫の餌場には困らないと木内さんは言う。

木を伐ることも大切なのだそうだ。自然はいい。たとえ不気味でも生き物の姿は脳の疲れをリフレッシュしてくれる。さあ、元気になった。

＊　＊　＊

『千曲川のスケッチ』の続きを収録。小諸の暮らしぶりを描いたところ。読んでいると絵のように情景が浮かんでくる。色彩が見える。

島崎藤村が住んでいた小諸の周辺を散策する場面。

私は君に古城の附近をすこし紹介した。町家の方の話はまだ為なかった。仕立屋に誘われて商家の山荘を見に行った時のことを話そう。

君は地方にある小さい都会へ旅したことが有るだろう。そこで行き逢う人々の多くは――近在から買物に来た男女だとか、旅人だとかで――案外町の人の少いのに気が着いたことが有るだろう。田舎の神経質はこんなところにも表れている。小諸がそうだ。裏町や、小路や、田圃側の細い道なぞを択んで、勝手を知った人々は多く往ったり来たりする。

私は仕立屋と一緒に、町家の軒を並べた本町の通を一瞥して、丁度そういう田圃側の道へ出た。裏側から小諸の町の一部を見ると、白壁づくりの建物が土壁のものに混って、堅く石垣の上に築かれている。中には高い三層の窓が城郭のように曇日に映じている。その建物の感じは、表側から見た暗い質素な暖簾と対照を成して土地の気質や殷富を表している。

麦秋だ。（後略）

（島崎藤村『千曲川のスケッチ』「その三　山荘」より）

＊　＊　＊

『千曲川のスケッチ』の続き収録。「修学旅行」のくだり。八ヶ岳の周りを一週間かけて友人教師や学生たちとぐるりと廻るあたりから、「小春の岡辺」小諸の農村風景まで二十ページほどを一気に読む。

「青木さん、年寄りのじいさんのセリフ、うまいですねえ、誰にでもできるというものではありませんねえ」と木和田さんがからかうような調子でいう。

「経験よ、経験。それにこっちも齢とってきて、活舌がほんと悪くなって年寄りのセリフはちょうどぴったり、言いやすい」と笑いながら返すが、半ば本気だ。

『千曲川のスケッチ』は朗読番組として取り上げるには長い。初めからほんの二、三十ページを読んで途中でやめ、ＦＭの朗読ファンには「はいここまで。あとは各自本で読んでね」と投げようと決めていたのだ。次の作品が決まらないので、「信州ゆかりのもの」という関連で、ほんのつなぎのつもりで読みはじめたのだが、声に出すと「いやー、青木さん、これ面白いですね」とディレクター氏。

別に目立ったストーリー展開があるわけでもなく、情景描写がメインのそれこそ「スケッチ」なのだから、どこで終わっても同じと、気軽に考えていたのだが、私もまったく同感だ。

文章がすこぶる美しい。文字を目で追って読んでいるとかなり退屈だが、描写がしっかりしているので声に出すと突然世界が広がる。

きちんと読むと、ほんとうにリアルな景色がひろがる。この時代のまさにここにいるようだ。朗読の醍醐味ってこれかなあ。

一冊読むのに何ヵ月かかるかわからない。確かに長すぎる。けれどあえて全編を読もうということになった。大事な記録の意味もある。個人で全部を収録し、保存している人はそうそういないのではなかろうか。そう思うことは何よりのモチベーションアップ。

＊　＊　＊

朝から収録。『千曲川のスケッチ』の続き。このエッセイ（写生文）のなかでは、特に描写の美しいところ。読んでいても気持ちがいい。農夫たちが農作業をしている風景。肉を持って友人と山の中の小屋を訪れて鍋をつつくシーンなど。何ということもない暮らしを、藤村の筆致はミレーの絵画のように描いている。藤村自身、フランスの敬虔な農民の姿を描いたこの画家の「晩鐘」を念頭においていたそうだが、文字を使って同じ情景を描きたかったに違いないと感じる。

小諸の昔の、厳しいが美しい風景。人がまだ弛んでいなくて、生きるために張りつめている時代の空気が伝わってきて、身が引き締まる思いがする。空気がぴりぴりと肌を刺す。ぶるっと身震いしそう。

ある日、復た私は光岳寺の横手を通り抜けて、小諸の東側にあたる岡の上に行って見た。

午後の四時頃だった。私が出た岡の上は可成眺望の好いところで、大きな波濤のような傾斜の下の方に小諸町の一部が瞰下される位置にある。私の周囲には、既に刈乾した田だの未だ刈取らない田だのが連なり続いて、その中である二家族のみが残って収穫を急いでいた。

雪の来ない中に早くと、耕作に従事する人達の何かにつけて心忙しさが思われる。私の眼前には胡麻塩頭の父と十四五ばかりに成る子とが互に長い槌を振上げて籾を打った。その音がトントンと地に響いて、白い土埃が立ち上った。母は手拭を冠り、手甲を着けて、稲の穂をこいては前にある箕の中へ落していた。その傍には、父子の叩いた籾を篩にすくい入れて、腰を曲めながら働いている、黒い日に焼けた顔付の女もあった。それから赤い襷掛に紺足袋穿という風俗で、籾の入った箕を頭の上に載せ、風に向ってすこしずつ振い落すと、その度に粃と塵埃との混り合った黄な煙を送る女もあった。

（島崎藤村『千曲川のスケッチ』「その七　収穫」より）

日本語って難しい。「腰を曲める」は「えーっと『まげる』とはよめないし」と考えてネットで検索するけれどなかなか出てこない。「たわめる」と読む場合もあるのだと出てくる。曲げ輪っぱみたいにうんと腰をたわめて働くのか。むしろ「かがめる」と読みたくなるけれど、漢字は「屈める」だし。図書館スタッフにおこなう朗読講習の時、「ほんと、なんて読んでいいか迷うのよね」などとブツブツ言っていると、須江政雄さんが教えてくれた。信州のこのあたりでは「こごめる」と言う。家がちょっと傾いているのを「あの家はこごまっとる」と言う

島崎藤村『千曲川のスケッチ』「その七　収穫」
QRコードで朗読を聴くことができます。

そうだ。縮こまっているというのとは違う。なので、ここでは「こごめる」と読もうか。

収録が終わってから、車で東京に向かう。次の仕事だ。サラリーマン時代は仕事のひと区切りというのが要所要所にあったし、休暇もあった。そういえば定年退職以来、休みというものがないなあ。

＊　＊　＊

いよいよ『千曲川のスケッチ』最後の奥書まで収録。

朗読館二階の狭い録音室は床暖房にはなっていない。頼るはホットカーペットだけなので、寒さが身にしみる。電気のヒーターは役に立たない。ブレーカーが飛ぶだけなのだ。分厚い毛布で腰から下をグルグル巻き、つま先までくるんで、毛糸のカーディガンを着込んでいるが肩が凍るようだ。南極探検隊のようなダウンジャケットを着たいが、シャリシャリ音がするので録音の邪魔になる。胸や喉は声の共鳴盤の役目をしているので、塞ぐことがないようにタートルネックなどは着ない。だから余計に寒い。

隣の副調整室は録音室より狭いので暖め甲斐がある。ホットカーペットとデロンギのオイルヒーターを中温程度にしておく。録音室よりまだましなのだ。いつもの二人は平気な顔をして、ときにこちら側に顔を覗かせて「寒くないですか」なんて言っている。

午後四時から始めて二時間、日が落ちるといよいよ録音室は寒くなってきた。はじめはホットカーペットから上がってくる暖気で足は温められていたが、背中と肩のあたりに氷が張りついたようになった。

「寒い、寒い」の連発。毛布を肩までたくし上げて寒さをしのごうとすると、こんどは足が寒い。声もだんだん寒々しい音色に変わってくる。

ＦＭの「軽井沢朗読散歩」は息長い番組だが、私は出演料はもらっていないし、暖房費も朗読館の録音室使用料ももらっていない。全国どこの地域のＦＭ放送も経営的観点からすると、ボランティア精神を借りての運営に頼る面が大きく、なんとか儲けなければならないわりには、儲け主義オンリーでは成り立たない。人材と熱意と、やりくりの知恵で持たせているようなものだ。それにしても私の場合、まったくのボランティアになるわけで、バーター取引というわけでもないが、放送後の収録音源の著作権は、ぜんぶ私がもらうことになっている。タダ働きだなどと思ったことはない。

逆にFM軽井沢のサポートはありがたい。図書館スタッフの休み時間などをねらってマンツーマンでおこなうようになったこのごろの朗読特訓だが、「図書館からのおはなしの贈りもの」というタイトルで、スタッフ一人ひとりが声を出す小さな時間ワクを提供してくれる。アンカーのステキな声で紹介され、町の人たちにスタッフの声を届けることができるのは、嬉しい。

人生こうありたい、と思っていたひとつの理想だ。そして私はコツコツと文芸作品の朗読に残りの人生を費やしながら、終盤を迎える。

しかし、どこまでこのまま続けることができるのか。寒さに耐えている自分を俯瞰してみると、なんだか笑えてくる。こうなってくると、寒さだってなんだって有難い、とも思えてくる。このあたり寒さの底。

朗読の魅力――あとがきにかえて

「一番朗読したい作家はだれですか」としばしば聞かれる。

これは答えるのがむずかしい。というのは、誰という個人の作家ではないからだ。私にとっての朗読は、「この作家が好きだから」というのとはすこし違う。

ある作品を声に出して朗読するのと目で読むのとでは、まったく違う世界が出現する。また、同じ作家が書いたものでも、作品によってまったく世界が違ってくる。もっと言うと、ひとりの作家の描く文章は筆の進みに合わせて一行一行変化していくものだし、その作家の置かれた位置も日ごとに違うし、置かれた状況によってどんどん変わってくる。

朗読というのは、その生身の作家のその時のありようが人の声に乗って、皮膚感覚で感じられる作業なのだ。声に出すと、作品の奥からその作家の隠された人間性が浮かんでくる。冷徹で好きになれない作家だと決めつけていても、朗読してみると、ドラマチックなスケールの大きさに打たれて驚くこともある。

声は、文字よりも原始に近いパワーがあるのだろう。声の響きに乗って埋蔵品が出てくる。するとその作家を好きになる。つまらないにちがいないと期待せずに声に出して読み始めて、その先入観をぶち壊されるときがある。そんなとき、新しい発見に感動する。朗読に頼らないと発見にいたらない自分が「なんとしょうもない」と思う。

朗読とは「未知との遭遇」を求めて、宇宙を進んでいく冒険のようなものだ。遭遇した時の喜びは何物にも替えがたい。なだらかな丘の向こうに何があるか、切実に見てみたいと思ったことはないだろうか。

だから、まだ読んだことのない作家も読みたい。読んだことのある作家は別の作品も読んでみたい。きっと全く違う側面を発見し驚くはずだ。同じ作品でも十回声に出して読めば、十回別の発見がある。

新しい発見に感動する人生──。最後の日までそうやって楽しめたらなあ。

二〇二一年五月十日

青木裕子

本書〔実践編〕の各引用作品の下にあるQRコードにアクセスすると、その作品の朗読（部分）を「軽井沢朗読館」（YouTube）で聴くことができます（無料）。

また作品全体を聴きたい方は、

「軽井沢朗読館」　http://karuizawaroudokukan.jp/　へ。

全体作品をダウンロードする場合は、有料となります。

詳しくはHPを御覧ください。

青木裕子（あおき・ゆうこ）
1950年、福岡県生まれ。朗読家。津田塾大学を卒業後、1973年にNHKに入局。アナウンサーとして「スタジオ102」や「ニュースワイド」で活躍。定年退職後、2010年、私費を投じて日本で初めての軽井沢朗読館を設立。また2013年、軽井沢町立図書館長に就任。現在、顧問・名誉館長。著書に『再婚トランプ』(1992年、朝日新聞社刊)、『軽井沢朗読館だより』(2017年、アーツアンドクラフツ刊)がある。

朗読（ろうどく）ワークショップ
2021年7月7日　第1版第1刷発行
2022年5月5日　　　　第2刷発行

著　者◆青木裕子（あおきゆうこ）
発行人◆小島　雄
発行所◆有限会社アーツアンドクラフツ
東京都千代田区神田神保町 2-7-17
〒101-0051
TEL. 03-6272-5207　FAX. 03-6272-5208
http://www.webarts.co.jp/
印刷　シナノ書籍印刷株式会社

落丁・乱丁本はお取り替えいたします。
ISBN978-4-908028-62-5　C0095

©Yuko Aoki 2021, Printed in Japan

●●●●● 好評発売中 ●●●●●

空を読み 雲を歌い
北軽井沢・浅間高原詩篇
一九四九―二〇一八
谷川俊太郎著
正津 勉編
第一詩集『二十億光年の孤独』以来七十年、毎夏過した〈第二のふるさと〉北軽井沢で書かれた一九四九年から二〇一八年の最新作まで二十九篇を収録。装画＝中村好至恵　四六判仮上製　九八頁
本体 1300 円

京都詩人傳
正津 勉著
一九七〇年前後、戦後現代詩の曲がり角に活躍した天野忠、大野新、角田清文、清水哲男・昶らの詩と生涯を描く。「読むほどに、言葉が突き刺さる一冊」（樋口良澄氏評）　四六判並製　二七二頁
本体 2000 円

日本行脚俳句旅
金子兜太著
構成・正津 勉
〈日常すべてが旅〉という「定住漂泊」の俳人が、北はオホーツク海から南は沖縄までを行脚。道々、吐いた句を、自解とともに、遊山の詩人が地域ごとに構成する。　四六判並製　一九二頁
本体 1300 円

温泉小説
富岡幸一郎編
19人の作家による20の短篇集。［近代］漱石・鏡花・芥川・川端・安吾・太宰など。［現代］井伏鱒二・島尾敏雄・大岡昇平・中上健次・筒井康隆・田中康夫・津村節子・佐藤洋二郎など。　A5判並製　二八〇頁
本体 2000 円

私小説の生き方
秋山 駿
富岡幸一郎編
貧困や老い、病気、結婚、家族間のいさかいなど、日常生活のさまざまな出来事を、19人の作家は小説として表現した。近代日本文学の主流をなす〈私小説〉のアンソロジー。　A5判並製　三三〇頁
本体 2200 円

●●●●● 好評発売中 ●●●●●

日本災い伝承譚

大島廣志編

災害列島ニッポン、われわれはどう対処してきたか。江戸期から現在まで、疫病、地震、つなみ、噴火、カミナリ、洪水、飢饉の語り継がれてきた民俗譚88編。

四六判並製　二七二頁

本体1800円

一日の光　あるいは小石の影

森内俊雄著

小説世界を支える日常生活と読書・思索。〈森内文学〉三十余年のエッセイ集成。「主題が互いに近接するように構成されていて、相互の響きあいが美しい」（堀江敏幸氏評）。

四六判上製　四八八頁

本体3800円

若狭がたり　わが「原発」撰抄

水上　勉著

作家・水上勉が描く〈脱原発〉啓発のエッセイと短篇小説二篇。〈フクシマ〉以後の自然・くらし・原発の在り方を示唆する。「命あるものすべてに仏心を示す大家・水上勉の真髄が光る」（鶴岡征雄氏評）。

四六判上製　二三二頁

本体2000円

窪島誠一郎コレクシオン　全5巻

Ⅰ　美術の眼　近現代美術作家篇

Ⅱ　美術の眼2　夭折画家・近現代画家篇

Ⅲ　美術館随想　『信濃デッサン館日記』篇

Ⅳ　無言館随想　戦没画家慰霊美術館篇

Ⅴ　美術小説篇

コレクター・美術館主として半世紀にわたり、近現代日本の美術作家と作品に接した中から書かれたエッセイ・批評・小説を全5冊にまとめて出版

［全巻体裁］

四六判並製カバー装　カバー箔押し　本文9ポ1段組　平均三五〇頁　著者後記（全巻）

各巻：本体2600円

＊定価は、すべて税別価格です。

谷川俊太郎さん、感嘆！

——詩のメロディ、物語のリズム、声と自然のハーモニー、青木さんが創った軽井沢朗読館は、魂のユニークな憩いの場。（谷川俊太郎）

軽井沢朗読館だより

青木裕子 著

NHK「スタジオ102」や「ニュースワイド」で活躍した元NHKアナウンサー青木裕子が、単独で設立した「軽井沢朗読館」の活動を、エッセイと日記で紹介。

四六判並製　二三二頁
定価一五四〇円（本体一四〇〇円）